Ian Fleming

Casino Royale

Zwarte Beertjes
Utrecht

Oorspronkelijke titel: Casino Royale

Vertaling: A. den Hertog-Pothof

Dit is een uitgave van A.W. Bruna Uitgevers B.V.
in samenwerking met Zwarte Beertjes.

ISBN 978 90 461 1238 0
NUR 313

Tweede druk, januari 2007

Inhoud

1 *De geheime agent*

De luchtjes van parfum, rook en transpiratie van een casino om drie uur in de morgen maken iemand doodmisselijk. De geestelijke afmatting van het gokken om hoge inzetten... ontstaan door een combinatie van hebzucht, vrees en nerveuze spanning... wordt dan onverdraaglijk, en de zinnen gaan zich verzetten.

James Bond besefte plotseling, dat hij moe was. Hij wist altijd precies wanneer zijn lichaam of zijn geest aan het eind waren, en reageerde daar dan ook prompt op. Hierdoor wist hij te voorkomen, dat hij fouten ging maken.

Hij liep onopvallend weg van de tafel, waaraan hij roulette had gespeeld, en ging tegen de koperen leuning, die op borsthoogte om de hoofdtafel van de 'salle privée' aangebracht was, leunen.

Le Chiffre speelde nog steeds en was blijkbaar nog altijd aan de winnende hand. Er lag een slordige stapel fiches van honderdduizend francs vóór hem. Onder zijn dikke linkerarm lag een bescheiden voorraadje van de grote gele, die elk vijfhonderdduizend francs waard zijn. Bond bestudeerde enige tijd het merkwaardige, onbewogen profiel van de man, haalde zijn schouders op en liep weg.

Het hek, dat om de kassa geplaatst is, reikt tot de kin, en de kassier, die meestal een gewone bankbediende is, zit op een krukje en rommelt met zijn handen in de stapels bankbiljetten en fiches. Deze liggen op planken, ter hoogte van je heupen, achter het beschermende hek. De kassier heeft een gummistok en een revolver om zich te verdedigen, en het is onbestaanbaar, dat je over het hek zou leunen, een stapeltje bankbiljetten zou pakken en het Casino door de gangen en de deuren zou verlaten. En de kassiers zijn meestal met z'n tweeën.

Bond dacht over deze mogelijkheid na, toen hij de stapels biljetten van honderdduizend en tienduizend francs incasseerde. Hij maakte zich een voorstelling van de bijeenkomst van het Casinocomité later op de morgen.

'Monsieur Le Chiffre heeft tweemiljoen francs gewonnen. Hij speelde zijn normale spel. Miss Fairchild had in een uur een miljoen gewonnen en verliet toen de speelzaal. Ze speelde volkomen beheerst. Monsieur le Vicomte de Villorin won één miljoen tweehonderdduizend francs met roulette. Hij speelde de hoogste inzet op de eerste en de laatste twaalf. En hij had geluk. De Engelsman, Mr. Bond, heeft in twee dagen precies driemiljoen gewonnen. Hij speelde volgens het progressieve systeem aan tafel V. Duclos, de 'chef de partie,' beschikt over alle details. Het schijnt, dat hij vasthoudend is, en maximaal inzet. Hij heeft geluk en hij heeft sterke zenuwen. De winsten van de chemin-de-fer bedroegen x, van de baccarat ij en van de roulette z francs. De opbrengst van de boule, die weer slecht bezet was, dekt nog steeds de kosten.'

'Merci, monsieur Xavier.'

'Merci, monsieur le président.'

Of iets dergelijks, dacht Bond, terwijl hij door de draaideur van de 'salle privée' ging en de verveelde man in avondkleding toeknikte, wiens taak het is om je aankomst en je vertrek eventueel door middel van de elektrische voetknop, die alle deuren bij het geringste

teken van onraad kan doen afsluiten, te verhinderen.
En het comité van het Casino zou de kas opmaken, en in een café of thuis gaan lunchen.
Wat een overval op de kassa betrof, wat Bond persoonlijk niet aanging, maar waarvoor tien flinke kerels nodig zouden zijn, dat zij één of twee bedienden zouden moeten doden, en dat je beslist noch in Frankrijk, noch in welk ander land dan ook, tien genadeloze moordenaars zoudt kunnen vinden.
Hij gaf duizend francs in de vestiaire, en liep de trap van het Casino af. Hij kwam tot de overtuiging, dat Le Chiffre onder geen enkele omstandigheid zou proberen, de kassa te beroven, en hij zette die mogelijkheid uit zijn hoofd. In plaats daarvan onderzocht hij zijn eigen lichamelijke toestand. Hij voelde het harde, droge grind onder de zolen van zijn avondschoenen, hij had een nare smaak in zijn mond en transpireerde onder zijn armen. Zijn ogen brandden in hun kassen en hij had een opgeblazen gezicht. Hij haalde diep adem en de frisse nachtlucht gaf hem een heerlijk ontspannen gevoel. Hij vroeg zich af, of zijn kamer misschien doorzocht zou zijn sinds hij deze vóór het diner had verlaten.
Hij stak de brede boulevard over en liep de tuin van hotel Splendide in. Hij lachte tegen de portier die hem zijn sleutel gaf... nr. 45 op de eerste verdieping... en nam het telegram aan.
Het kwam van Jamaica en luidde:
Kingstonja
Bond Splendide Royale-les-Eaux Seine
Inferieure Havana sigaren produktie alle
Cubaanse fabrieken 1915 tienmiljoen herhaal
tienmiljoen stop hoop dit het gewenste
cijfer groeten Dasilva

Dit betekende, dat er tienmiljoen francs onderweg was. Het was het antwoord op een verzoek, dat Bond die middag via Parijs naar het hoofdkantoor in Londen had verzonden om meer geld. Parijs had met Clements, het hoofd van Bonds afdeling, gesproken; deze had het doorgegeven aan M, die zuur gelachen had; toen had hij 'de Makelaar' opgedragen, een en ander met het Ministerie van Financiën te regelen.
Bond had vroeger eens in Jamaica gewerkt, en zijn dekking voor zijn opdracht in Royale was die van een zeer rijke klant van de firma Caffery, de grootste im- en exportfirma van Jamaica. Hij stond dus via Jamaica onder controle, via een zwijgzame man die de leiding had van de fotopagina van de 'Daily Gleaner', het bekende blad van de Caraïbische eilanden.
Deze man, Fawcett genaamd, was boekhouder geweest bij een van de grootste schildpadvisserijen op de Kaaiman-eilanden. Hij had zich als vrijwilliger gemeld bij het uitbreken van de oorlog, en was assistent van een betaalmeester bij een klein onderdeel van de Marine-inlichtingendienst op Malta geworden. Bij het einde van de oorlog, toen hij, zeer tegen zijn zin, weer naar de Kaaiman-eilanden terug moest, werd hij opgemerkt door de afdeling van de Geheime Dienst die het toezicht op de Caraïbische eilanden had. Hij wist alles van fotografie af en kreeg, onder de supervisie van een invloedrijk man in Jamaica, de fotopagina van de 'Gleaner' onder zijn beheer.
Tussen de bedrijven door kreeg hij telefonische instructies van een man die hij nooit ontmoet had om bepaalde, eenvoudige opdrachten uit te voeren, waarbij het uitsluitend om discretie, snelheid en accutaresse ging. Voor deze diensten kreeg hij twintig pond per maand,

die op zijn bankrekening bij de Royal Bank of Canada door een denkbeeldig familielid in Engeland werden gestort.
Fawcett had nu de opdracht om onmiddellijk aan Bond de berichten door te seinen die hij telefonisch van zijn anonieme contactman ontving. Deze had hem verzekerd, dat geen enkel bericht dat hij door moest zenden, de verdenkingen van het postkantoor in Jamaica zou opwekken. En hij was niet verbaasd, toen hij plotseling benoemd werd tot correspondent voor het 'Maritime Press & Foto Agency' voor het uitwisselen van persberichten met Frankrijk en Engeland, tegen een extra maandsalaris van tien pond.
Hij voelde zich veilig, had visioenen van een B.E.M. en betaalde de eerste termijn van een kleine Morris. Hij kocht ook een groene oogklep, die hij al lang had willen hebben.
Bond dacht even na over de achtergrond van zijn telegram. Hij was aan indirecte controle gewend en vond dat wel prettig. Hij vond, dat het zijn leven gemakkelijker maakte, omdat er nu altijd een paar uur verliepen tussen zijn contacten met M. Hij wist best, dat dit maar schijn was, en dat er waarschijnlijk een ander lid van de Geheime Dienst in Royale-les-Eaux was die ook berichten doorgaf, maar het gaf hem de illusie dat hij niet alleen op honderdvijftig mijl afstand over het Kanaal van dat schrikaanjagende kantoor bij Regent's Park was, gadegeslagen en beoordeeld door die enkele keiharde kerels die de hele Dienst beheersten. Net als Fawcett wist, dat iemand in Londen het waarschijnlijk zou horen, als hij de Morris contant had gekocht, inplaats van op afbetaling, en dan zou willen weten, waar het geld vandaan was gekomen.

Bond las het telegram tweemaal. Toen scheurde hij een telegramformulier van het blok, dat op het bureau van de portier lag, af (waarom zou hij hun een kopie geven?) en schreef zijn antwoord in hoofdletters:

Bedankt informatie voldoende Bond

Hij gaf het formulier aan de portier en stopte het telegram, dat door Dasilva ondertekend was, in zijn zak. Het zou natuurlijk mogelijk kunnen zijn, dat een ambtenaar van het plaatselijk postkantoor omgekocht was, of dat de portier de enveloppe opengestoomd had, of het telegram ondersteboven gelezen had toen Bond het in zijn handen hield.
Hij pakte zijn sleutel, wenste goedenacht en liep naar de trap, terwijl hij de liftbediende een teken gaf dat hij liever liep. Bond kende alle gevaren die een lift kan opleveren! Hij vermoedde niet, dat er iemand op de eerste verdieping zou zijn, maar hij nam geen risico.
Terwijl hij zachtjes naar boven liep, kreeg hij spijt van zijn antwoord aan M via Jamaica. Als gokker wist hij, dat het verkeerd was om met een te klein kapitaal te spelen. Maar M zou hem toch waarschijnlijk niet meer geven. Hij haalde zijn schouders op, en liep de gang door naar zijn kamer.
Bond wist precies, waar de schakelaar zat, en in één beweging stond hij op de drempel, met de deur wijd open, het licht aan en een revolver in zijn hand. De veilige, lege kamer keek hem als het ware spottend aan. Hij lette niet op de deur van de badkamer, die half open stond; hij sloot de gangdeur, draaide de lampjes boven zijn bed en de spiegel aan en gooide zijn revolver op de bank naast het raam. Toen bukte hij zich en contro-

leerde een van zijn eigen zwarte haren die hij voor het diner tussen het bovenblad en een lade van het bureau geklemd had: de haar zat nog op dezelfde plaats. Toen onderzocht hij een spoortje talkpoeder aan de binnenrand van de porseleinen knop van de kleerkast. Dit bleek onberoerd te zijn. Toen liep hij naar de badkamer, tilde de deksel van de w.c. op en controleerde de stand van het water aan de hand van een klein krasje. Dit alles deed hij in volle ernst en hij vond er niets belachelijks aan. Hij was een geheim agent en dankte zijn leven aan het feit, dat hij op alle details van zijn beroep lette. Routinevoorzorgsmaatregelen waren voor hem even gewoon als voor een diepzeeduiker of een testpiloot, of voor wie dan ook die zijn geld op een gevaarlijke manier verdient.

Toen Bond gerustgesteld was dat zijn kamer niet doorzocht was tijdens zijn bezoek aan het Casino, kleedde hij zich uit en nam een koude douche. Toen stak hij zijn zeventigste sigaret van die dag op en ging aan het bureau zitten; hij legde een stapel bankbiljetten voor zich neer en schreef een paar getallen in een klein notitieboekje op. Hij had in twee dagen driemiljoen francs gewonnen en hij had Londen om nog tienmiljoen gevraagd. Dit bedrag zou nu gestort worden op het agentschap van de 'Crédit Lyonnais', en dit betekende, dat zijn werkkapitaal drieëntwintigmiljoen francs bedroeg of ongeveer drieëntwintigduizend pond.

Bond zat enkele ogenblikken stil voor het raam naar de donkere zee te staren; toen legde hij de stapel bankbiljetten onder zijn hoofdkussen, poetste zijn tanden, deed de lichten uit en strekte zich met een zucht van verlichting tussen de stugge Franse lakens uit. Tien minuten lang bleef hij op zijn linkerzijde na liggen denken over alles, wat er die dag gebeurd was. Toen draaide hij zich om en probeerde in te slapen. Maar eerst voelde hij nog even met zijn rechterhand naar de afgezaagde loop van de .38 politierevolver onder zijn kussen. Toen sliep hij in, en zijn gezicht vertrok zich tot een zwijgend masker, sarcastisch, wreed en koud.

2 *Een dossier voor M*

Twee weken geleden was het volgende memorandum van afdeling S van de Geheime Dienst naar M gestuurd, die toen het hoofd van deze Dienst was.

Aan: M.
Van: hoofd afdeling S.

Onderwerp: plan voor de vernietiging van Monsieur Le Chiffre (alias 'The Number', 'Herr Nummer', 'Herr Ziffer', etc.), een van de hoofdagenten der oppositie in Frankrijk, en z.g. administrateur van het Syndicaat der Arbeiders uit de Elzas, de communistische vakbond, en zoals ons bekend, een belangrijke vijfde colonne bij een eventuele oorlog met Rusland.

Documentatie: bijlage A: biografie over Le Chiffre.
bijlage B: opmerking over SMERSH.

Reeds enige tijd hebben wij de indruk, dat Le Chiffre zich in diep water bevindt. Bijna in elk opzicht is hij een uitstekend agent van de U.S.S.R., maar zijn ruwe lichamelijke behoeften en neigingen vormen zijn achilleshiel, waardoor wij af en toe in de gelegenheid waren een en ander van hem te weten te komen. Een van zijn maîtressen is een Eurasische (nr. 1860) die onder controle staat van afdeling F, en die kort geleden in staat was enig inzicht te krijgen in zijn privézaken.

In het kort komt het erop neer, dat Le Chiffre voor een financiële crisis staat. Enige tekenen in die richting werden door 1860 opgemerkt: juwelen werden op discrete wijze verkocht, alsmede een villa in Antibes. Tevens schijnt hij minder met geld om zich heen te strooien. Verdere onderzoekingen hebben wij met behulp van onze vrienden van het 'Deuxième Bureau' (met wie wij in dit geval samenwerken) gedaan, en deze hebben een interessant resultaat gehad.
In januari 1946 heeft Le Chiffre zich ingekocht in de directie van een reeks bordelen, bekend onder de naam de 'Cordon Jaune', die in Normandië en Bretagne gevestigd zijn. Hij was dwaas genoeg om voor dit doel ongeveer vijftigmiljoen francs te besteden van de gelden, die hem door de Leningrad sectie III voor de financiering van de S.O.D.A., de bovengenoemde vakbond, waren toevertrouwd.
Normaal zou de 'Çordon Jaune' een uitstekende kapitaalsinvestering gebleken zijn, en het is mogelijk dat Le Chiffre meer op het voordeel van de kas van zijn vakbond uit was dan dat hij zijn eigen zak wilde spekken door met het geld van zijn opdrachtgevers te speculeren. Hoe dat ook mag zijn: het is duidelijk, dat hij een heel wat beter beleggingsobject had kunnen vinden dan prostitutie, als hij niet in verleiding was gebracht door het feit, dat hij nu onbeperkt vrouwen voor zijn persoonlijk gebruik tot zijn beschikking had.
Maar het lot sloeg genadeloos toe.
Nauwelijks drie maanden later, op de dertiende april, werd er in Frankrijk een wet aangenomen, nr. 46685, met als titel: de wet tot sluiting der publieke huizen en tot versterking van de strijd tegen het proxénitisme.

Toen M aan deze zin kwam, gromde hij en drukte een knop van de huistelefoon in.
'Hoofd van afdeling S?'
'Sir?'
'Wat betekent dit woord, verdomme?' Hij spelde het.
'Koppelarij, Sir.'
'We zijn hier niet op de Berlitz School, hoofd van afdeling S. Als jij je kennis van vreemde talen wilt luchten, doe er dan een spiekbriefje bij. Maar het lijkt me maar beter, je eigen taal te gebruiken.'
'Sorry, Sir.'
M liet de knop los, en las weer verder.

Deze wet (las hij), die alle beruchte huizen laat sluiten en de verkoop van pornografische boeken en films verbiedt, sloeg de bodem in van alle verwachtingen van Le Chiffre, en hij stond plotseling voor een ernstig tekort bij zijn vakbondfondsen. Wanhopig veranderde hij zijn 'huizen' in 'maisons de passe', waar clandestiene rendez-vous gearrangeerd konden worden, binnen de grenzen der wet, en hij exploiteerde nog een paar 'cinéma's bleus' ondergronds, maar dit dekte zijn kosten niet, en al zijn pogingen om zijn bezittingen te verkopen, zelfs met verlies, mislukten.
Ondertussen was de zedenpolitie hem op het spoor gekomen en al spoedig werden er meer dan twintig van zijn etablissementen gesloten.
De politie was natuurlijk alleen in deze man als 'bordeelhouder in het groot', geïnteresseerd, en pas toen wij belangstelling gingen tonen in zijn financiële toestand, kwam het Deuxième Bureau met een zelfde dossier te voorschijn als hun collega's bij de politie.
De betekenis van de zaak werd zowel ons als onze Fran-

se collega's duidelijk, en in de afgelopen maanden heeft de politie een ware razzia onder de 'Cordon Jaune' etablissementen gehouden, met het resultaat, dat er vandaag de dag niets van de originele kapitaalsinvestering van Le Chiffre overgebleven is, en dat elk routine-onderzoek een tekort van ongeveer vijftigmiljoen francs in de fondsen van de bond, waarvan hij de penningmeester en de administrateur is, zou aantonen.
Het schijnt, dat Leningrad hem nog niet verdenkt, maar jammer genoeg voor Le Chiffre, is het wel mogelijk dat SMERSH hem op het spoor is. Vorige week rapporteerde afdeling P dat een van de kopstukken van deze efficiënte Russische organisatie via de oostelijke sector van Berlijn van Warschau naar Straatsburg op weg was. Dit bericht is niet bevestigd door het Deuxième Bureau, noch door de autoriteiten in Straatsburg (die betrouwbaar en accuraat zijn), en er is ook geen nieuws van het hoofdkwartier van Le Chiffre aldaar, waar wij nog een tweede agent hebben (behalve nr. 1860).
Als Le Chiffre wist, dat SMERSH hem op het spoor was, of dat ze ook maar de geringste verdenking tegen hem koesterden, zou er voor hem niets anders overblijven dan zelfmoord te plegen of te vluchten, maar zijn plannen wekken het idee, dat hij zich, hoewel hij zich in een wanhopige positie bevindt, nog niet realiseert dat zijn leven op het spel staat. Het zijn deze, nogal openzienbarende plannen, die ons op de gedachte van een tegenaanval hebben gebracht die wij, hoewel wij ervan overtuigd zijn dat deze riskant en ongebruikelijk is, met vertrouwen aan het eind van dit memorandum onder uw aandacht brengen.
In het kort komt het hier op neer, dat wij geloven, dat Le Chiffre het voorbeeld volgend van de meeste andere

wanhopige vervalsers, het plan heeft om door gokken zijn verliezen goed te maken. De Beurs werkt niet snel genoeg. Dit is ook het geval bij de handel in verdovende middelen of in kostbare medicijnen, zoals aureo- en streptomycin en cortisone. Bij de wedrennen gaat het niet om zulke bedragen, en zelfs als hij zou winnen, zou hij eerder vermoord, dan uitbetaald worden.

Wij weten, dat hij de laatste vijfentwintigmiljoen francs uit de safe van zijn vakbond heeft gehaald, en dat hij een kleine villa in de buurt van Royale-les-Eaux, ten noorden van Dieppe, voor een week gehuurd heeft. De huur gaat morgen over veertien dagen in.

Men verwacht, dat in het Casino in Royale deze zomer de hoogste bedragen van alle speelzalen in Europa ingezet zullen worden. In een poging om Deauville en le Touquet naar de kroon te steken, heeft de Zeebadmaatschappij van Royale de baccarat- en de twee chemin-de-fer-tafels met de hoogste inzetten aan het Mohamet Ali Syndicaat verhuurd; dit syndicaat bestaat uit een groep geëmigreerde Egyptische bankiers en zakenlieden die, naar men zegt, zekere koninklijke fondsen onder hun beheer hebben, en die sinds jaren hun oog hebben laten vallen op de grote winsten van Zographos en zijn Griekse collega's die deze door hun monopolie op de Franse baccarattafels maken. Door middel van discrete publiciteit heeft men de grootste spelers van Amerika en Europa aangemoedigd, om deze zomer Royale te bezoeken, en het gaat er op lijken, dat deze ouderwetse badplaats iets van zijn vroegere Victoriaanse glorie zal terugwinnen.

In elk geval zijn wij ervan overtuigd, dat Le Chiffre daar, op of na de vijftiende juni zal proberen een winst van vijftigmiljoen francs met baccarat te maken, met een werkkapitaal van vijfentwintigmiljoen. (En op die manier zijn leven te redden).

Door ons voorgestelde tegenactie.

Het zou zeer zeker in het belang van dit land en de andere N.A.T.O.-landen zijn, dat deze machtige Sovjetagent belachelijk gemaakt en vernietigd zou worden, dat zijn communistische vakbond failliet zou gaan en dat deze potentiële vijfde colonne, met een sterkte van vijftigduizend man, en in oorlogstijd in staat om een grote sector van de noordelijke Franse grens te beheersen, het vertrouwen zou verliezen. Dit alles zou het resultaat zijn, als Le Chiffre aan de speeltafel verslagen zou worden.
(N.B. moord is zinloos: Leningrad zou zijn verduisteringen snel goed praten, en hem tot martelaar verklaren).
Wij stellen doorom voor, dat de beste speler van de Dienst de beschikking krijgt over de benodigde fondsen en een poging doet, deze man te verslaan.
Het risico is groot, en het eventuele verlies van de gelden van de Dienst aanzienlijk, maar andere acties, waarbij grote sommen gelds betrokken waren, hadden minder kans op succes, en daarbij ging het dikwijls om minder belangrijke zaken.
Mocht men om de een of andere reden dit plan niet ten uitvoer willen brengen, dan zou de enige mogelijkheid zijn om onze inlichtingen en onze plannen in handen van het Deuxième Bureau, of van onze Amerikaanse collega's in Washington, te geven. Beide organisaties zouden zonder twijfel dit plan met vreugde uitvoeren.

Getekend: S.

Bijlage A.

Naam: Le Chiffre.

Aliassen: variaties op de woorden 'cijfer', of 'nummer' in verschillende talen, bijvoorbeeld 'Herr Ziffer'.

Afkomst: onbekend.

Voor het eerst tegengekomen als 'displaced person', verblijvende in het D.P. kamp te Dachau in de U.S. zone van Duitsland, in juni 1945. Schijnbaar lijdend aan geheugenverlies en verlamming van de stembanden (beide gefingeerd?). Verbetering door therapie, maar patiënt hield vol, geheugen verloren te hebben, behalve herinneringen aan Elzas-Lotharingen en Straatsburg, waarheen hij in september 1945 op transport gesteld werd, met een staatloos paspoort nr. 304-596. Nam de naam 'Le Chiffre' aan: ('ik ben slechts een nummer op een paspoort!'). Geen voornamen.

Leeftijd: ongeveer vijfenveertig.

Persoonsbeschrijving: lengte: één meter zeventig; gewicht: honderdvierenzestig pond. Bleke gelaatskleur. Gladgeschoren. Haar kastanjebruin, 'en brosse'. Zeer donkerbruine ogen met witte stippen om de iris. Kleine, vrouwelijke mond. Kostbaar vals gebit. Kleine oren, met grote lellen, die op joods bloed wijzen. Kleine, harige, verzorgde handen. Kleine voeten. Wat zijn ras betreft: waarschijnlijk een mengsel van Frans met Pruisisch of Pools bloed. Kleedt zich uitstekend, en draagt meestal donkere pakken. Kettingroker; rookt uitsluitend Caporals in een denicoteapijpje. Inhaleert af en toe benzedrine. Stem zacht en vlak. Spreekt zowel Frans als Engels. Duits zeer behoorlijk. Sporen van accent uit Marseille. Glimlacht zelden, en lacht nooit.

Gewoonten: kostbaar, maar bescheiden. Op seksueel gebied onverzadigbaar. Flagellant. Uitstekend chauffeur van snelle wagens. Handig met kleine wapens, en andere strijdmiddelen, bijvoorbeeld messen. Hij draagt drie Eversharp scheermessen, één in de band van zijn hoed, één in de hak van zijn linkerschoen en één in zijn sigarettenkoker. Prima speler. Goede mathematicus. Wordt altijd vergezeld door twee gewapende lijfwachten, die goedgekleed zijn, een Fransman en een Duitser (hierover zijn nadere gegevens te verkrijgen).
Commentaar: een machtig en gevaarlijk agent van de U.S.S.R., die via Parijs door de Leningrad sectie III gecontroleerd wordt.

Getekend: Archivaris.

Bijlage B.

Onderwerp: SMERSH.

Bronnen: eigen archieven en materiaal, afgestaan door het Deuxième Bureau en de C.I.A. te Washington.
SMERSH is een samenvoeging van twee Russische woorden: 'Smyert Shpionam', wat ongeveer betekent: 'Dood aan spionnen.'
Staat boven de M.W.D. (vroeger N.K.V.D.) en staat waarschijnlijk onder persoonlijke leiding van Beria.

Hoofdkwartier: Leningrad (onder-afdeling in Moskou).
De taak van SMERSH is het elimineren van allerlei vormen van verraad en corruptie binnen de verschillende takken van de Geheime Dienst van de Sovjet en de Geheime Politie, zowel in Rusland als buiten de grenzen. Het is de machtigste en meest gevreesde organisatie in de U.S.S.R., en men neemt algemeen aan, dat hun wraaknemingen nog nooit mislukt zijn.
Men vermoedt, dat SMERSH verantwoordelijk was voor de moord op Trotsky in Mexico (22 augustus 1940) en het is mogelijk, dat deze organisatie zijn naam verworven heeft door deze moord, nadat verschillende Russische personen en instanties dit vergeefs geprobeerd hadden.
De naam SMERSH kwam weer naar voren, toen Hitler Rusland binnentrok. De organisatie werd uitgebreid, en maakte korte metten met verraders en contra-spionnen gedurende de terugtocht van de Russische legers in 1941. Toentertijd trad SMERSH op als een soort executiepeloton voor de N.K.V.D., maar de tegenwoordige taak van de organisatie is niet zo duidelijk omlijnd.
SMERSH werd na de oorlog grondig herzien, en men gelooft, dat hij nu slechts uit een paar honderd selecte leden bestaat; er zijn vijf afdelingen:

Afdeling I: contra-sionage bij Sovjetorganisaties, zowel in Rusland als buitenslands.
Afdeling II: acties, w.o. executies.
Afdeling III: administratie en financiën.
Afdeling IV: onderzoekingen op rechtskundig gebied. Personeelszaken.
Afdeling V: vervolgingen; dit is de afdeling die alle slachtoffers berecht.

Slechts één lid van SMERSH is sinds de oorlog in onze handen gevallen: Goytchev, alias Garrad-Jones. Hij schoot Petchora neer, een officier van gezondheid bij de Joegoslavische Ambassade, in Hyde Park op 7 augustus 1948. Bij het vooronderzoek pleegde hij zelfmoord door het inslikken van een knoop, die samengeperste cyaankali bevatte. Hij gaf alleen toe, lid van SMERSH te zijn, en deed dit op arrogante wijze.
Wij denken, dat de volgende Britse contra-spionnen slachtoffers van SMERSH waren: Donovan, Harthrop-Vane, Elizabeth Dumont, Ventnor, Mace en Savarin.

Conclusie: elke poging moet worden aangewend om onze kennis van deze machtige organisatie te vergroten, en de leden ervan te vernietigen.

3 *Nummer 007*

Het hoofd van afdeling S (de afdeling van de Geheime Dienst die zich met de Sovjet Unie bezighoudt) was zó vervuld van zijn plan om Le Chiffre te vernietigen (hij had het praktisch geheel zelfstandig ontworpen) dat hij het memorandum zelf naar de kamer aan het einde van de gang op de bovenste verdieping van het sombere gebouw, dat op Regent's Park uitkijkt, bracht.
Hij liep strijdlustig naar M's hoofdassistent, een jonge man die zijn sporen verdiend had als een der leden van het secretariaat van de Generale Staf, nadat hij in 1944 bij een sabotageopdracht gewond was; ondanks deze beide ondervindingen had hij zijn gevoel voor humor behouden.
'Luister eens, Bill. Ik heb hier iets, dat ik aan de baas wil voorleggen Denk je, dat dit het goeie ogenblik is?'
'Wat vind jij ervan, Penny?' De assistent wendde zich tot M's privé-secretaresse die bij hem in de kamer zat. Miss Moneypenny zou er verleidelijk uit gezien hebben, als haar ogen niet zo koel, openhartig en spottend waren geweest.
'Ik geloof het wel. Hij heeft vanmorgen een goeie beurt op Buitenlandse Zaken gemaakt, en hij heeft het eerste halve uur geen afspraak.' Ze lachte het hoofd van afdeling S bemoedigend toe; ze vond hem sympathiek zowel om zijn persoon als om het werk dat hij deed.
'Hier heb je het geval, Bill.' Hij gaf hem de zwarte map met de rode ster, die strikt geheim betekende. 'En kijk

in godsnaam een beetje enthousiast als je het aan hem geeft. En zeg hem, dat ik hier zal wachten en een goed codeboek zal lezen terwijl hij het doorleest. Misschien wil hij nog details weten, en in elk geval wil ik graag dat jullie tweeën hem niet lastig vallen met iets anders totdat hij ermee klaar is.'
'All right, Sir.' Bill drukte op een knop en boog zich over de huistelefoon.
'Ja?' vroeg een rustige, vlakke stem.
'Het hoofd van afdeling S heeft een belangrijk document voor u, Sir.' Er was een kleine pauze.
'Breng het maar binnen,' zei de stem.
De assistent liet de knop los, en stond op.
'Dank je wel, Bill. Ik wacht hiernaast,' zei het hoofd van afdeling S.
De assistent liep de kamer door en ging door de dubbele deuren de kamer van M binnen. Hij kwam dadelijk weer terug, en boven de deuren gloeide er een blauw lampje aan, wat betekende dat M niet gestoord wenste te worden.
Enige tijd later zei het hoofd van afdeling S triomfantelijk tegen zijn 'nummer 2': we hadden met die laatste paragraaf bijna alles bedorven. Hij zei, dat het op chantage en afpersing leek. Hij was nogal fel. Maar hij gaat er akkoord mee. Zegt, dat het een waanzinnig plan is, maar te proberen, als Financiën meedoet, en hij denkt van wel. Hij zal ze vertellen, dat dit een betere gok is dan het wedden op gedeserteerde Russische kolonels die contra-spion worden nadat ze hier een paar maanden 'asiel' hebben ontvangen. En hij wil Le Chiffre graag in handen hebben, en hij beschikt over de juiste man en wil hem een kans geven.
'Wie is dat?' vroeg 'nummer 2'.

'Een van de dubbele nullen, ik geloof 007. Hij is taai, en M denkt dat er moeilijkheden zullen komen met die lijfwachten van Le Chiffre. Hij moet een goed speler zijn, anders had hij niet voor de oorlog twee maanden in het Casino in Monte Carlo gezeten om dat Roemeense span in de gaten te houden, die met onzichtbare inkt en donkere brillen werkten. Hij en het Deuxième Bureau kregen hen ten slotte te pakken, en 007 bracht een miljoen francs mee die hij met shemmy gewonnen had. En toen was dat nog een hoop geld.'

Het onderhoud tussen James Bond en M was van korte duur.

'Wat vind je ervan, Bond?' vroeg M, toen Bond weer in zijn kamer kwam nadat hij het memorandum gelezen had, en tien minuten door de ramen van de wachtkamer naar de bomen in het park had zitten staren. Hij keek Bond met zijn scherpe, heldere ogen aan.

'Ik zal het graag doen, Sir, en ik dank u wel. Maar ik kan u niet beloven, dat het me zal lukken. De voordelen bij baccarat zijn groter dan bij welk ander spel ook, uitgezonderd 'trente et quarante', maar ik zou slechte kaarten kunnen krijgen, en blut kunnen raken. Er zal hoog gespeeld worden... de eerste inzet zou wel een half miljoen kunnen bedragen.'

Bond hield zijn mond toen hij in de koude ogen keek. M wist dit allemaal wel; hij wist evenveel van de kansen bij baccarat als Bond. Dat was zijn werk... om alles van de kansen te weten, en de mensen te kennen, zijn eigen mensen en die van de tegenpartij. Bond wilde, dat hij maar niets gezegd had.

'Hij kan óók slechte kaarten krijgen,' zei M. 'Je zult over de nodige fondsen kunnen beschikken. Over vijfentwintigmiljoen francs, net als hij. We zullen je er tien meegeven, en je er nog tien sturen als je daar rondgekeken hebt. De extra vijf moet je zelf maar verdienen.' Hij lachte. 'Zorg dat je er een paar dagen vóórdat het grote spel gaat beginnen, bent. En verken het terrein. Overleg met Q over kamers en treinen en over je uitrusting. De administrateur zal je financiën regelen. Ik zal het Deuxième Bureau om bijstand vragen. Het is hun gebied en we mogen al blij zijn, als ze geen deining maken. Ik zal proberen om Mathis tot onze beschikking te krijgen. Toen in Monte Carlo, bij dat andere Casinogeval, kon je goed met hem opschieten. En ik moet Washington op de hoogte brengen in verband met de N.A.T.O. De C.I.A. heeft een paar goede krachten in Fontainebleau. Nog iets?'

Bond knikte. 'Ik zou graag met Mathis werken, Sir.'

We zullen zien. Doe je best, het tot een goed einde te brengen. Anders zouden we een figuur slaan. En kijk uit je ogen. Dit lijkt een amusant baantje, maar ik denk niet dat het dat zal worden. Le Chiffre is een sterke tegenstander. Ik wens je veel succes.'

'Dank u, Sir,' zei Bond en liep naar de deur.

'Een ogenblikje.'

Bond draaide zich om.

'Ik zal je nog een assistent sturen, Bond. Twee weten meer dan een, en je zult iemand nodig hebben om berichten door te sturen. Ik moet er nog even over denken. In Royale zullen ze wel contact met je opnemen. Maak je maar geen zorgen, ik zal een goeie sturen.'

Bond had liever alleen gewerkt, maar je argumenteert nu eenmaal niet met M. Hij verliet de kamer in de hoop, dat de man die ze zouden sturen eerlijk zou zijn en niet dom, of, wat nog erger was, ambitieus.

4 *De vijand luistert*

Toen James Bond twee weken later in zijn kamer in hotel Splendide wakker werd, moest hij aan deze voorgeschiedenis denken.
Twee dagen geleden was hij voor de lunch in Royale-les-Eaux gearriveerd. Men had nog geen poging gedaan om met hem in contact te komen, en het feit, dat hij het register met 'James Bond, Port Maria, Jamaica', ondertekend had, had geen nieuwsgierigheid gewekt.
M had geen interesse gehad voor zijn dekking.
'Als je eenmaal tegenover Le Chiffre aan de speeltafel zit, speelt dat geen rol meer,' had hij gezegd. 'Maar zorg voor een dekking, die men zal aanvaarden.'
Bond kende Jamaica goed, en daarom legde hij zijn contacten daar; hij deed zich voor als een planter uit Jamaica, wiens vader zijn geld had verdiend in de tabak en de suiker; de zoon gaf er de voorkeur aan, het uit te geven door gokken op de beurs en in de casino's. Mocht men inlichtingen vragen, dan zou hij Charles DaSilva van de firma Caffery in Kingston als zijn gevolmachtigde noemen. En Charles zou dit bevestigen.
Bond had de laatste twee dagen roulette gespeeld en veel succes gehad met chemin-de-fer. Verloor hij, dan probeerde hij het nog eens, en verloor hij dan weer, dan stopte hij.
Op deze manier had hij ongeveer driemiljoen francs gewonnen, en hij had zijn zenuwen en zijn feeling voor het kaarten flink getraind. En hij kende het Casino nu

van binnen en van buiten. Bovendien had hij Le Chiffre aan de tafels gade kunnen slaan; hij had geconstateerd, dat hij een feilloze en gelukkige speler was.

Bond hield ervan, goed te ontbijten. Na een koude douche ging hij voor het raam zitten. Het was schitterend weer. Hij dronk een glas sinaasappelsap, at drie spiegeleieren met ham en dronk twee koppen koffie zonder suiker. Hij stak zijn eerste sigaret op; zijn sigaretten werden speciaal voor hem door Morland in Grosvenor Street uit een mengsel van tabak uit de Balkan en Turkije gemaakt. Hij keek naar de kabbelende golven en naar de vissersvloot van Dieppe die in de trillende juni-hitte uitvoer, gevolgd door een zwerm zeemeeuwen.
Hij werd in zijn gedachten gestoord door het rinkelen van de telefoon. Het was de portier, die hem meedeelde, dat een der directeuren van de Stentor Radiomaatschappij beneden wachtte met het radioapparaat dat hij uit Parijs besteld had.
'O ja, dat is waar ook,' zei Bond. 'Vraag maar of hij boven komt.'
Dit betekende, dat het Deuxième Bureau hun verbindingsman had gestuurd. Bond keek naar de deur, en hoopte, dat het Mathis zou zijn.
Toen Mathis binnenkwam, een keurige zakenman die een groot vierkant pak droeg, lachte Bond breeduit, en stond op het punt om hem hartelijk te verwelkomen, maar Mathis fronste zijn wenkbrauwen en stak zijn vrije hand op, na de deur zorgvuldig gesloten te hebben.
'Ik ben net uit Parijs gearriveerd, monsieur, en hier is het apparaat dat u op proef hebt besteld... vijf buizen, hi-fi, zoals u dat, geloof ik, in Engeland noemt; het moet mogelijk zijn om de meeste hoofdsteden in Europa hier in

Royale te ontvangen. Er zijn geen bergen hier in de buurt.'
'Dat klinkt veelbelovend,' zei Bond, terwijl hij zijn wenkbrauwen optrok; hij begreep niets van al die geheimzinnigheid.
Mathis lette niet op hem. Hij pakte het toestel uit, en zette het op de vloer naast de elektrische haard die in de schoorsteen gemonteerd was.
'Het is elf uur,' zei hij, 'en de 'Compagnons de la Chanson' zullen op de middegolf uit Rome te horen zijn. Ze maken een tournee door Europa. Laten we eens zien, of we ze kunnen ontvangen. Dat zou een goede test zijn.'
Hij gaf Bond een knipoog. Bond zag, dat hij de volumeregelaar op zijn sterkst had gezet, en dat het rode lampje van de lange golfband brandde; het apparaat gaf geen geluid. Mathis frunnikte achter aan het toestel. Plotseling klonk er een oorverdovend lawaai in de kleine kamer. Mathis keek welwillend naar het apparaat, zette het toen af, en zei teneergeslagen:
'Och, monsieur... neemt u mij niet kwalijk... ik heb het slecht afgesteld,' en hij boog zich weer naar de knoppen. Toen klonken de harmonische stemmen van het Franse koor door de kamer, en Mathis liep naar Bond toe, en gaf hem een harde klap op zijn schouder, en drukte zijn hand tot Bond een pijnlijk gezicht trok. Bond lachte tegen hem. 'Wat heeft dit in godsnaam te betekenen?' vroeg hij.
'Vriendje,' zei Mathis vrolijk, 'je bent erin gevlogen. Hierboven,' hij wees naar het plafond, 'is óf monsieur Muntz, óf zijn zogenaamde vrouw, zogenaamd te bed met griep, volkomen stokdoof, en ik hoop dat ze nog hoofdpijn hebben ook.' Hij grinnikte om Bonds ongelovige gezicht. Mathis ging op het bed zitten, en ritste met zijn

duim een pakje Caporals open. Bond wachtte rustig af. Mathis was tevreden over de indruk, die zijn woorden hadden gemaakt. Hij werd ernstig.
'Hoe het kan, is me een raadsel. Ze moeten al alles over je geweten hebben vóórdat je hier kwam. De oppositie is in volle sterkte aanwezig. Boven je hoofd zit de Muntzfamilie. Hij is een Duitser. En zij komt ergens uit Centraal Europa, misschien uit Tsjecho-Slowakije. Dit is een ouderwets hotel. Achter de elektrische haarden zitten schoorstenen, die niet gebruikt worden. Daar,' hij wees op een plek, een eindje boven de kachel, 'is een pick-up-installatie aangebracht. De draden lopen via de schoorsteen naar een versterker die achter de kachel van de Muntzes geplaatst is. Ze hebben een wire-recorder in hun kamer, met een koptelefoon, en kunnen om beurten luisteren. En daarom heeft madame Muntz de griep en krijgt al haar maaltijden op haar kamer, en daarom moet monsieur Muntz steeds bij haar blijven, inplaats van lekker in het zonnetje te gaan wandelen en te gaan gokken.
We wisten zo het een en ander, omdat wij hier in Frankrijk nu eenmaal goed bij zijn. En de rest wisten we toen we, een paar uur voor je aankomst, de kachel losgeschroefd hebben.'
Bond liep naar de schoorsteen, en bekeek de schroeven. Er waren minuscule krasjes op te zien.
'Nu gaan we nog een beetje meer toneelspelen,' zei Mathis. Hij liep naar het toestel, dat nog steeds de mooie klanken in twee kamers liet horen, en zette het af.
'Bent u tevreden, monsieur?' vroeg hij. 'U hoort, hoe duidelijk het door komt. Zingen ze niet prachtig?' Hij maakte een draaiende beweging met zijn rechterhand, en trok zijn wenkbrauwen op.

'Ik vind ze zo goed,' zei Bond, 'dat ik de rest van het programma ook graag wil horen.' Hij grinnikte bij de gedachte aan de boze gezichten van de Muntzes boven. 'Het apparaat lijkt me geweldig. Juist iets om mee terug naar Jamaica te nemen.'
Mathis trok een sarcastisch gezicht en zette Rome weer aan. 'Jij en je Jamaica,' zei hij, en ging weer op bed zitten.
'Gedane zaken nemen geen keer,' zei Bond. 'We hebben niet gedacht, dat ik zo gauw ontmaskerd zou worden, en ik zou wel eens willen weten, hoe ze er achter zijn gekomen.'
Hij had er werkelijk geen flauw idee van. Zouden de Russen zijn code hebben ontcijferd? Dan kon hij wel inpakken. Want dan stond hij in zijn hemd.
Mathis scheen zijn gedachten te raden. 'Jullie code kan het niet zijn,' zei hij, 'we hebben Londen direct op de hoogte gebracht, en de code zal veranderd worden. 't Veroorzaakte nogal wat opschudding, dat kan ik je wel vertellen.' Hij lachte, en zei: 'en nu terzake, vóórdat onze goeie 'Compagnons' geen adem meer hebben.' 'In de eerste plaats zul je wel tevreden zijn met je nummer II. Ze is erg knap...' Bond fronste zijn wenkbrauwen... 'héél erg knap.' Tevreden met Bonds reactie, ging Mathis verder: 'ze heeft zwart haar, blauwe ogen en prachtige... eh... rondingen, zowel van voren als van achteren,' voegde hij eraan toe. 'En ze is een radio-expert, wat haar, hoewel op seksueel gebied minder interessant, tot een prima kracht van Radio Stentor maakt, en tot een goeie assistente voor mij, in mijn capaciteit als radioverkoper tijdens het veelbelovende seizoen hier.' Hij grinnikte. 'We wonen allebei in dit hotel, en mijn assistente zal dus bij de hand zijn als je nieuwe radio het af

laat weten. Alle nieuwe apparaten, zelfs de Franse, moeten de kinderziekten doorstaan. En dat kan 's nachts ook wel eens gebeuren,' zei hij met een knipoog.
Bond vond het helemaal niet grappig. 'Waarom sturen ze een vrouw op m'n dak?' vroeg hij kwaad. 'Denken ze verdomme dat dit een picknick is?'
Mathis viel hem in de rede. 'Kalm maar, jongen. Ze is doodernstig en zo koel als een ijspegel. Ze spreekt Frans, alsof het haar moedertaal is, en kent haar vak door en door. Haar dekking is prima en ik heb met haar afgesproken, dat ze op de normale manier met jou contact zoekt. Wat is nu gewoner dan dat jij hier een knap meisje oppikt? Als miljonair uit Jamaica,' hij kuchte eerbiedig, 'warmbloedig en zo, zou je er zonder vrouw maar kaal bijlopen.'
Bond gromde. 'Nog meer verrassingen?' vroeg hij wantrouwend.
'Nee, eigenlijk niet,' antwoordde Mathis. 'Le Chiffre heeft zich in zijn villa geïnstalleerd, ongeveer 10 mijl verder op de weg, die langs de kust loopt. Hij heeft twee lijfwachten bij zich. En die zien er capabel uit. Een van hen is gesignaleerd in een klein pension in de stad, waar twee dagen geleden drie geheimzinnige figuren hun intrek hebben genomen. Ze zullen wel bij de troep horen. Hun papieren zijn in orde... het zijn staatloze Tsjechen... maar een van onze mensen heeft hen Bulgaars horen spreken. Bulgaren zien we hier nooit veel. Ze worden meestal tegen de Turken en tegen de Joegoslaven ingezet. Ze zijn stom, maar gehoorzaam. De Russen gebruiken hen voor simpele moorden, of om op terug te vallen bij meer gecompliceerde slachtingen.'
'Zeer bedankt. Wat zal mijn lot zijn?' vroeg Bond. 'Nog iets?'

'Nee. Kom vóór de lunch naar de bar van de Hermitage. Dan zal ik je voorstellen. Vraag haar vanavond voor het diner. Dan zal het ook niet opvallen als ze met jou meegaat naar het Casino. Ik zal er ook zijn, maar op de achtergrond. Ik heb de beschikking over een paar flinke knapen en we zullen een oogje op je houden. Oh, en dan is er nog een Amerikaan hier in het hotel, Leiter, Felix Leiter. Hij is de C.I.A.-man van Fontainebleau. Dat moest ik je nog van Londen vertellen. Hij lijkt oké. Hij zou nog wel eens van pas kunnen komen.'
Er klonk een stroom Italiaans uit het apparaat op de vloer. Mathis schakelde het uit en ze zeiden nog het een en ander over het toestel, regelden de betaling. Toen nam Mathis uitgebreid afscheid, en liep buigend, al knipogend, de deur uit.
Bond ging voor het raam zitten nadenken. Wat Mathis hem verteld had, was niet bepaald geruststellend. Hij was erin getippeld. Men zou zelfs een poging kunnen doen om hem onschadelijk te maken voordat hij nog maar de kans had gehad om Le Chiffre bij het spel te verslaan. De Russen keken niet op een moord meer of minder. En dan was er dat verrekte kind. Hij zuchtte. Vrouwen waren goed voor ontspanning. Bij het werk liepen ze je maar voor de voeten en maakten alles ingewikkeld door hun emotionele gedoe. Men moest ervoor oppassen, en op ze letten.
'Rotmeid,' zei Bond, en toen herinnerde hij zich de Muntzes, en zei nog eens luider: 'rotmeid,' en liep toen de kamer uit.

5 *Het meisje van het hoofdkwartier*

Om 12 uur verliet Bond het hotel; hij hoorde het carillon van de toren van het stadhuis spelen. De atmosfeer was doordrenkt van de geuren van dennenaalden en mimosa, en de pas gespoten tuinen van het Casino aan de overkant gaven aan het toneel een zekere vormelijkheid, die meer aan ballet, dan aan melodrama deed denken.

De zon scheen, en er was een vrolijkheid in de lucht die heel wat beloofde voor het nieuwe tijdperk van bloei, waarvoor het kleine stadje aan zee, na vele jaren van verval, zo dapper streed.

Royale-les-Eaux, dat bij de mond van de Somme ligt, vóórdat de vlakke kustlijn vanaf de kust van het zuidelijke deel van Picardië naar de rotsen van Bretagne tot aan le Havre oploopt, had hetzelfde lot als Trouville ondergaan.

Royale (zonder het 'Eaux') was in het begin ook alleen maar een vissersdorpje, en zijn roem als modebadplaats tijdens het Tweede Keizerrijk was even meteoorachtig gekomen als bij Trouville. Maar zoals Deauville Trouville vernietigd had, had le Touquet dit Royale gedaan. Toen bij het begin van deze eeuw het kleine stadje aan zee er slecht voor stond, en het mode werd om de vakantiegenoegens te combineren met een 'kuur', ontdekte men in de heuvels achter Royale een natuurlijke bron, die genoeg verdunde zwavel bevatte voor leverkwalen. Daar alle Fransen leverklachten hebben, werd Royale al

snel 'Royale-les-Eaux', en 'Eau Royale', in een torpedovormig flesje, werd bescheiden onderaan de lijst van mineraaldranken in hotels en restaurants gezet.
Maar het kon niet lang tegen het machtige Syndicaat van Vichy, Perrier en Vittel op. Er kwam een serie processen, er waren mensen die veel geld verloren, en na korte tijd was de verkoop alleen maar plaatselijk. Royale viel terug op de inkomsten van de vakanties der Fransen en Engelsen in de zomer, van de vissersvloot in de winter en op de kruimeltjes die van de tafel van Le Touquet afvielen voor haar vervallen casino.
Maar toch was het negrescobarok van het Casino Royale indrukwekkend; er hing nog een sfeer van de elegante en luxueuze Victoriaanse tijd, en in 1950 werd de aandacht van een Syndicaat in Parijs op Royale gevestigd; zij beschikten over grote bedragen die aan een groep verbannen Vichy-aanhangers toebehoorden.
Sinds de oorlog hadden Brighton en Nice een grote bloei beleefd. Het verlangen naar goede tijden zou een bron van inkomsten kunnen betekenen.
Het Casino werd in zijn oude luister van wit en goud hersteld; de zalen werden in zachtgrijs geschilderd en kregen wijnrode kleden en gordijnen. Grote kronen werden aan de plafonds gehangen. De tuinen werden opnieuw aangelegd, en de fonteinen gerepareerd, en de twee voornaamste hotels, Splendide en Hermitage, werden opgeknapt en van een nieuwe staf personeel voorzien.
Zelfs het kleine stadje en de oude haven zagen er kans toe, iemand weer vriendelijk welkom te heten, en de hoofdstraat werd opgevrolijkt door etalages van grote Franse juweliers en modehuizen.
Toen werd het Mohamet Ali Syndicaat overgehaald tot

hoog spel in het Casino, en de Zeebadmaatschappij had het gevoel, dat nu eindelijk Le Touquet iets van de in de loop der jaren gestolen schatten aan zijn oudere bloedverwant zou moeten afstaan.
Bond stond in de zonneschijn tegen deze sprankelende achtergrond, en vond zijn duister beroep eigenlijk een belediging voor zijn tegenspelers.
Hij haalde zijn schouders op bij de gedachte aan zijn onrustig gevoel en liep langs de achterkant van zijn hotel naar de garage.
Vóór zijn afspraak in de Hermitage wilde hij een ritje langs de kust maken, om Le Chiffre's villa eens te bekijken, om dan via de binnenweg terug te rijden.
Bonds auto was zijn enige hobby. Het was een van de laatste 4½ liter Bentleys met compressor, en hij had hem in 1933 bijna nieuw gekocht, en hem gedurende de oorlog zuinig bewaard. Elk jaar werd hij in Londen grondig nagekeken, en een vroegere Bentleymonteur, die in een garage dicht bij Bonds flat in Chelsea werkte, vertroetelde de wagen als een kind. Bond reed er hard mee, maar goed, en altijd met plezier. De kleur was grijs, de tint van een oorlogsschip, en hij had een linnen kap, die werkelijk open kon; hij kon er 120 mijl per uur mee rijden.
Bond reed de wagen de garage uit, reed de boulevard op en toen door de drukke hoofdstraat van het stadje naar de duinen in het zuiden.
Een uur later stapte hij de bar van de Hermitage binnen en ging aan een tafeltje bij een van de brede ramen zitten. Het zaaltje maakte een opgesmukte indruk, wat, met briarpijpen en ruigharige terriers, specifiek Franse luxe betekent. Alle stoelen waren van leer, met koper beslagen, en glimmend mahoniehout. De gordijnen en

de vloerkleden waren helderblauw. De obers droegen gestreepte vesten en groene baaien voorschoten. Bond bestelde een Americano en bekeek de gasten, die allen iets te overdadig gekleed waren; de meesten zouden wel uit Parijs komen, dacht hij; er werd zwaar geredeneerd. De mannen dronken aan een stuk champagne, en de vrouwen dry martini's.
'Ik ben dol op martini's,' zei een vrolijk meisje aan het tafeltje naast hem tegen haar begeleider, die er iets tè gekleed uitzag in zijn dikke tweedpak, en die haar over de knop van een kostbare wandelstok met waterige bruine ogen aan zat te staren. 'Natuurlijk met Gordon gin.'
'Natuurlijk, Daisy. Maar weet je, een heel klein citroenschilletje...'
Bonds oog viel op de lange gestalte van Mathis op het trottoir, die belangstellend naar een donker meisje in het grijs keek. Hij had zijn arm door de hare gestoken, en toch ontbrak alle intimiteit aan hun verschijning; het meisje had een koele, ironische uitdrukking in haar ogen, en daardoor leken het twee afzonderlijke personen, inplaats van een paartje. Bond verwachtte, dat ze de bar binnen zouden komen, maar terwille van de schijn bleef hij naar buiten, nàar de voorbijgangers, zitten kijken.
'Maar dat is toch monsieur Bond?' Mathis' stem achter hem klonk verrukt. Bond, die ook deed alsof hij verrast was, stond op. 'Bent u alleen? Of wacht u op iemand? Mag ik u mijn collega voorstellen, mademoiselle Lynd? Kindje, dit is de heer uit Jamaica, met wie ik vanmorgen het genoegen had zaken te doen.'
Bond deed gereserveerd vriendelijk. 'Prettig kennis met u te maken,' zei hij tegen het meisje. 'Ik ben alleen. Wilt u aan mijn tafeltje komen zitten?' Terwijl zij gingen zitten, riep hij een ober, en ondanks het protest

van Mathis bestelde hij de drankjes... een cognac voor Mathis, en een bacardi voor het meisje.
Mathis en Bond bespraken het prachtige weer en de vooruitzichten van een opleving van het fortuin in Royale-les-Eaux. Het meisje luisterde. Ze accepteerde de sigaret van Bond, bekeek die eens en rookte dan met plezier en zonder aanstellerij; ze inhaleerde diep en liet de rook dan langzaam door haar lippen en neusgaten ontsnappen. Haar bewegingen waren beheerst, zonder een spoor van zelfbewustheid.
Haar aanwezigheid maakte een diepe indruk op Bond. Terwijl hij met Mathis converseerde, betrok hij haar af en toe in het gesprek, en nam haar ondertussen goed op. Haar haar was diepzwart en kort geknipt; het viel los om haar hoofd tot onder de duidelijk en mooi getekende lijn van haar kaak. Hoewel het zwaar was en met de bewegingen van haar hoofd meebewoog, liet ze het met rust. Haar ogen stonden ver uit elkaar en waren diepblauw. Ze keek met een ironische onverschilligheid naar Bond, en tot zijn ergernis kreeg hij het verlangen, die blik uit haar ogen ruw te verstoren. Haar huid was enigszins gebruind door de zon, ze had geen make-up, behalve op haar mond, die groot en sensueel was. Haar handen en armen, die onbedekt waren, gaven een gevoel van rust, en de algemene indruk van gereserveerdheid van haar verschijning en haar bewegingen kwam zelfs tot uiting in haar nagels, die kort geknipt en niet gelakt waren. Om haar hals droeg ze een eenvoudige, gouden schakelketting en aan de ringvinger van haar rechterhand een ring met een grote topaas. Haar jurk was van grijze natuurzijde, met een laag uitgesneden vierkante hals; het lijfje zat strak om haar mooie buste gespannen. De rok was geplisseerd, en om haar smalle

middel droeg ze een brede, zwarte ceintuur, die met de hand geborduurd was. Een bijpassend zwart tasje lag op de stoel naast haar, bij een grote, ronde strooien zonnehoed; om de bol zat een dun, zwart fluwelen bandje, dat van achteren in een strikje eindigde. Haar schoenen van effen zwart leer hadden vierkante neuzen.
Bond was zeer onder de indruk van haar schoonheid en haar houding, en hij vond het plotseling een heerlijk vooruitzicht om met haar samen te werken. En toch kwam er een onrustig gevoel over hem.
Mathis voelde Bonds stemming aan. Hij stond op.
'Neem me niet kwalijk,' zei hij tegen het meisje, 'maar ik wilde even de Dubernes bellen. Ik moet even afspreken voor het diner vanavond. Vind je het niet erg als ik je vanavond aan je lot overlaat?'
Ze schudde haar hoofd.
Bond begreep de wenk, en zei, toen Mathis naar de telefooncel naast de bar liep, 'als u vanavond toch alleen bent, wilt u dan misschien met mij gaan eten?'
Ze lachte, en voor het eerst kwam er een blik van samenzwering in haar ogen. 'Heel graag,' zei ze, 'en dan kunt u me daarna misschien meenemen naar het Casino; monsieur Mathis heeft me verteld, dat u daar kind aan huis bent. Misschien zal ik u geluk aanbrengen.'
Nu Mathis weg was, werd haar houding jegens hem veel hartelijker. Ze scheen te willen laten merken dat ze een team waren, en terwijl ze de tijd en plaats voor hun afspraak bepaalden, realiseerde Bond zich, dat het per slot van rekening niet zo moeilijk zou zijn om de details van zijn plannen met haar te bespreken. Hij kreeg het gevoel, dat zij hevig geïnteresseerd was in haar rol, en dat ze vol goede wil met hem zou samenwerken. Hij had gedacht, dat er nogal wat bezwaren weggeruimd zou-

den moeten worden, maar hij had nu het gevoel, dat hij direct in bijzonderheden kon treden. Hij was volkomen eerlijk tegenover zichzelf wat betreft het huichelachtige in zijn houding tegenover haar. Hij wilde met haar naar bed, maar pas als het werk gedaan was.
Toen Mathis naar hun tafeltje terugkwam, riep Bond om de rekening. Hij zei, dat hij naar zijn hotel terug moest omdat hij een afspraak voor de lunch had. Toen hij een ogenblik haar hand in de zijne hield, voelde hij een genegenheid en een begrip tussen hen, die een half uur geleden nog onmogelijk waren geweest.
Het meisje keek hem na toen hij op de boulevard liep. Mathis schoof zijn stoel dicht bij de hare, en zei zachtjes: 'Hij is een heel goeie vriend van me. Ik ben blij, dat jullie elkaar ontmoet hebben. En ik zie de ijsschotsen op de twee rivieren al breken.' Hij lachte. 'Ik geloof niet, dat Bond al eerder gezwicht is. Het zal een nieuwe ervaring voor hem zijn. En voor jou ook.'
Ze gaf niet dadelijk antwoord. 'Hij is heel knap. Hij doet me aan Hoagy Carmichael denken, maar hij heeft iets kouds en wreeds over zich...'
Haar zin werd nooit afgemaakt. Plotseling werd het glas uit het grote raam volkomen versplinterd. De luchtstroom van een vreselijke ontploffing dichtbij gooide hen achterover in hun stoelen. Er heerste een moment stilte. Er vielen een paar voorwerpen op het trottoir, en achter de bar vielen er langzaam enige flessen van de planken op de vloer. Toen klonk er gegil, en rende iedereen naar de deur.
'Blijf zitten,' zei Mathis. Hij schopte zijn stoel achteruit, en sprong door het open raam naar buiten.

6 *Twee mannen met strooien hoeden*

Toen Bond de bar uitkwam, liep hij regelrecht over de met bomen beplante boulevard naar zijn hotel. Hij had honger.

Het was nog steeds prachtig weer, maar de zon was heet, en de platanen, die op ongeveer zes meter afstand van elkaar op de groene strook tussen het trottoir en de brede rijweg stonden, gaven een koele schaduw.

Er waren weinig mensen op straat, en de twee mannen, die rustig onder een boom aan de andere kant van de boulevard stonden, leken daar niet op hun plaats.

Bond zag hen, toen hij nog een kleine honderd meter van hen verwijderd was, en toen zij nog eenzelfde afstand van de ornamentele inrijpoort van Splendide verwijderd waren.

Hun verschijning had iets verontrustends. Ze waren beiden klein, en in donkere pakken gekleed; Bond vond, dat die er nogal warm uitzagen. Ze maakten de indruk van een variéténummer dat op de bus stond te wachten, op weg naar het theater. Ze droegen allebei een strooien hoed met een brede zwarte rand om de bol; dit misschien als een concessie aan de vakantiestemming in Royale, en de randen van hun hoeden en de schaduw van de boom waaronder zij stonden verduisterden hun gezicht. Maar beide donkere figuurtjes werden door een felle kleur opgevrolijkt. Ze hadden allebei een vierkante cameratas over hun schouder hangen. En een tas was hardrood en de andere hardblauw.

Toen Bond al deze details in zich opgenomen had, was hij de mannen tot op ongeveer vijfentwintig meter genaderd. Hij dacht na over verschillende soorten wapens, en de mogelijkheid tot dekking, toen er zich een ongewoon en een verschrikkelijk schouwspel voordeed. Roodmans scheen Blauwmans een teken te geven. En Blauwmans haalde met een snelle beweging zijn blauwe cameratas van zijn schouder; hij boog naar voren... Bond kon een en ander niet duidelijk zien, omdat zijn uitzicht net door een plataan belemmerd werd... en scheen iets aan de tas te doen. Toen kwam er een oorverdovende, afschuwelijke explosie, begeleid door een verblindend wit licht, en Bond werd, ondanks de bescherming van de stam van de boom, tegen de weg aangeslingerd, door een hete luchtstroom die zijn wangen en zijn maag indeukte alsof ze van papier waren. Hij lag op zijn rug in de felle zon, en het leek hem, alsof de lucht door de ontploffing hevig trilde, en alsof iemand met een voorhamer op de lage toetsen van een piano had geslagen. Toen hij zich vesuft, en half bij bewustzijn, op één knie oprichtte, viel er een afschuwelijke regen van stukken vlees en met bloed doordrenkte stukken kleding op en naast hem neer tezamen met boomtakken en gravel. Dit werd gevolgd door een stortregen van kleine takjes en bladeren. Van alle kanten hoorde hij glas rinkelen. Boven zijn hoofd hing een wolk in de vorm van een grote paddestoel van zwarte rook, die langzaam omhoog trok. Er hing een afgrijselijke lucht van een ontploffingsmiddel, van brandend hout en van, ja, dat was het... gebraden schapevlees. Over een afstand van vijftig meter waren alle bomen op de boulevard verkoold en bladerloos. Aan de overkant waren er twee vlakbij de voet afgebroken, en lagen als dronken dwars

over de weg. Daartussenin was een krater, die nog steeds rookte. Van de twee mannen met de strooien hoeden was totaal niets over. Maar er liepen rode sporen over de weg, en op de trottoirs, en tegen de stammen van de bomen, en hoog in de takken hingen glinsterende rode flarden.
Bond werd doodmisselijk.
Mathis was het eerst bij hem, en toen stond Bond met zijn arm om de boom, die zijn leven gered had.
Nog volkomen versuft, maar ongedeerd, liet hij zich door Mathis naar het hotel brengen; de gasten en bedienden kwamen dodelijk verschrikt naar buiten rennen. Toen sirenes de aankomst van ambulances en brandweer aankondigden, zagen ze kans om door de mensenmenigte heen naar binnen te dringen en Bonds kamer te bereiken. Mathis draaide onmiddellijk het radiotoestel naast de schoorsteen aan, terwijl Bond zijn met bloed besmeurde kleren uittrok. Toen overstelpte hij hem met vragen.
Toen Bond de beide mannen ging beschrijven, greep Mathis de telefoon naast Bonds bed van de haak.
'... en zeg tegen de politie,' besloot hij, 'zeg ze, dat de Engelsman uit Jamaica, die door de luchtdruk tegen de grond werd geslagen, míjn zaak is. Hij werd niet gewond, en ze moeten hem niet lastig vallen. Ik zal het ze over een half uurtje uitleggen. En laten ze maar tegen de pers zeggen dat het waarschijnlijk een vendetta tussen twee Bulgaarse communisten was, en dat de een de ander met een bom gedood heeft. Ze behoeven niets te zeggen over de derde Bulgaar, die ergens rondgehangen moet hebben, maar ze moeten hem in elk geval in handen krijgen. Hij zal wel op weg naar Parijs zijn. De wegen moeten onmiddellijk afgezet worden. Begrepen?

Nou, veel geluk.'
Mathis wendde zich weer tot Bond, en hoorde hem tot het einde aan.
'Verdomme, jíj hebt geboft,' zei hij, toen Bond hem alles verteld had. 'Natuurlijk was die bom voor jou bestemd. En het heeft verkeerd uitgepakt. Zij hebben natuurlijk achter hun bomen dekking willen zoeken, direct nadat ze hem gegooid hadden. Het kwam echter anders uit, dan ze verwacht hadden. Maar laten we ons bij de feiten houden.' Hij dacht even na. 'Maar 't is me het zaakje wel. En ze schijnen jou als een serieus geval te beschouwen.' Mathis keek beledigd. 'Maar hoe dachten die verrekte Bulgaren te kunnen ontsnappen? En wat betekenden die rode en blauwe tassen? We moeten proberen, wat stukjes van die rode te pakken te krijgen.'
Mathis beet op zijn nagels. Hij was opgewonden, en zijn ogen glinsterden. Dit was een grote en dramatische zaak geworden, waarbij hij uit allerlei oogpunten persoonlijk betrokken was. Het was niet meer genoeg om in een hoekje naar Bond te gaan staan kijken als hij zijn krachten met die van Le Chiffre in het Casino ging meten. Hij sprong op.
'Neem een borrel, eet wat en ga dan wat liggen,' zei hij tegen Bond. 'En ik moet me gauw met dit zaakje gaan bezighouden, voordat de politie met haar grote platvoeten alle sporen uitgewist heeft.'
Mathis zette de radio af en wuifde hartelijk met zijn hand naar Bond. De deur viel in het slot en het werd stil in de kamer. Bond bleef nog even rustig voor het raam zitten genieten van het feit, dat hij nog in leven was.
Later, toen hij zijn eerste pure whisky met ijs uitdronk,

en voor de pâté de foie gras en koude kreeft zat, die de ober hem gebracht had, ging de telefoon.
'Hier mademoiselle Lynd.'
Haar stem klonk laag en bezorgd. 'Is alles goed met u?'
'Ja, dank u.'
'Ik ben zó blij. Pas goed op uzelf.'
Ze belde af.
Bond schudde zich eens, pakte zijn mes en nam het dikste stukje warme toast van het schaaltje.
Plotseling dacht hij: twee van hen zijn er dood en ik heb nog iemand naast me. Dat is in elk geval een goed begin.
Hij doopte het mes in het glas met gloeiend heet water dat naast het potje Strasbourg porselein stond, en vond, dat hij de ober een extra fooi moest geven voor dit uitgezochte menu.

7 *Rouge et noir*

Bond wilde volkomen fit en uitgerust zijn voor een gokpartij, die wel eens het grootste deel van de nacht zou kunnen duren. Hij bestelde een masseur voor drie uur. Nadat de tafel door de ober afgenomen was, bleef hij rustig voor het raam naar de zee zitten kijken, totdat de masseur, een Zweed, kwam.

Kalm nam deze Bond van zijn hoofd tot zijn voeten onderhanden; de spanningen in zijn lichaam verdwenen en zijn zenuwen kwamen tot rust. Het kloppen in zijn linkerschouder en zijde hield op, en toen de masseur vertrokken was, viel Bond in een droomloze slaap.

's Avonds werd hij volkomen verkwikt wakker.

Na een koude douche liep hij naar het Casino, om weer enigszins met de sfeer vertrouwd te raken. Hij moest in die toestand komen, die half berekenend en half intuïtief is, en die, met een langzame polsslag en een warm temperament, de essentiële uitrusting van elke gokker, die wil winnen, moet zijn.

Bond was altijd een speler geweest. Hij hield van het ritselende geluid der kaarten en de dramatische sfeer van de rustige figuren om de groene tafels. Hij hield van het comfort van speelzalen en casino's en de gemakkelijke stoelen, van een glas champagne of whisky naast zich, en van de rustige bediening van goede obers. Hij werd geboeid door de onpartijdigheid van het rouletteballetje en van de speelkaarten. Hij hield er van zowel meespeler als toeschouwer te zijn, en vanuit zijn stoel deel

te hebben aan dramatische momenten van anderen, totdat het zijn beurt werd om het beslissende 'ja' of 'nee' te zeggen, meestal met een fifty-fifty kans.
En het mooiste vond hij het, dat alles slechts aan jezelf te wijten was: Je deed het goed, of je deed het slecht. Het geluk was een ondergeschikte en niet een meester. Het geluk moest geaccepteerd, of uitgebuit worden. Maar men moest het aanvoelen, en in zijn ware gedaante begrijpen, en het niet verwarren met een verkeerde appreciatie van de kansen, want bij het gokken is het gevaar groot, dat men slecht spel aanziet voor geen geluk. En het geluk moet bemind worden en nooit gevreesd. Bond vergeleek het geluk met een vrouw: voorzichtig aanbeden of ruw vernietigd, maar nooit behagend of achtervolgd. Maar hij was eerlijk genoeg om toe te geven, dat hij nog nooit terwille van de kaarten of terwille van een vrouw geleden had. Hij nam aan, dat hij op zekere dag of door de liefde, of door het geluk op de knieën gebracht zou worden. En als dat zou gebeuren, zou hij weten, dat hij ook met dat dodelijke vraagteken, dat hij zo dikwijls bij anderen gezien had, gebrandmerkt zou worden: het aanvaarden van de feilbaarheid.
Maar op die juni-avond toen Bond de 'salle privée' inkwam, wisselde hij met vertrouwen, en met een prettig gevoel van verwachting, éénmiljoen francs in fiches van vijftigduizend, en ging naast de 'chef de partie' zitten aan de eerste roulettetafel.
Bond leende de kaart van de 'chef' en bestudeerde de loop van het balletje sinds het spel 's middags om drie uur begonnen was. Hij deed dit altijd, hoewel hij wist, dat het draaien van het wiel en het vallen van het balletje in een genummerde gleuf, niets te maken heeft met voorgaande keren. Hij wist best, dat het spel elke keer

opnieuw begint als de croupier het ivoren balletje met zijn rechterhand oppakt, een der vier spaken van het wiel met dezelfde hand een duw geeft in de richting van de wijzers van de klok en dan, met een derde beweging, ook weer met de rechterhand, de bal langs de buitenste rand van het wiel ingooit, en wel tegen de wijzers van de klok in.

Het was duidelijk, dat dit hele ritueel en de mechanische details van het wiel, de genummerde gleuven en de cilinder, in de loop der jaren geperfectioneerd waren, zodat niets het effect van de bal kon beïnvloeden. En toch zullen de meeste roulettespelers, en Bond hoorde daar ook bij, nauwkeurige aandacht schenken aan de voorafgaande resultaten, en bijvoorbeeld noteren, als zijnde belangrijk, dat er tweemaal achter elkaar eenzelfde nummer uitkomt, of dat de even nummers meer dan viermaal achter elkaar uitkomen. Maar Bond beweerde altijd, dat je, hoe meer aandacht en concentratie je aan het spel besteedde, er des te meer aan verdiende.

Bond kon niets bijzonders op de kaart ontdekken, behalve dat de derde twaalf niet uitgekomen waren. Hij speelde altijd met het wiel mee, en veranderde van tactiek, als er een nul uitkwam. En daarom besloot hij het maximum, honderdduizend francs, op de eerste en de tweede twaalf te zetten. Hij had tweederde van de tafel bezet (behalve de nul), en daar de twaalftalllen twee tegen één betalen, zou hij elke keer, dat er een nummer onder de vijfentwintig uitkwam, honderdduizend francs winnen.

Na zeven spelletjes had hij zesmaal gewonnen. Bij het zevende won nummer dertig. Zijn netto winst was een half miljoen. Bij het achtste spel zette hij niet in. Nul kwam uit. Dit vrolijkte hem op, en nummer dertig als een vingerwijzing voor de laatste twaalf beschouwend, besloot hij op de eerste en de laatste twaalf in te zetten, totdat hij tweemaal verloren had. Na tien spelletjes kwam de tweede twaalf tweemaal uit, wat hem vierhonderdduizend francs kostte, maar toen hij opstond had hij éénmiljoen honderdduizend francs gewonnen.

Direct nadat Bond het maximumbedrag had ingezet, stond hij in het middelpunt van de belangstelling. Daar hij geluk scheen te hebben, waren er al spoedig enkelen die hem volgden. Vlak tegenover hem zat er zoëen; Bond dacht, dat het een Amerikaan was; hij scheen nogal enthousiast over zijn aandeel in de winst.

Hij had Bond al een paar maal over de tafel heen toegelachen, en het leek niet toevallig dat hij Bonds inzetten imiteerde, als hij zijn bescheiden fiches van tienduizend francs naast de grotere van Bond zette. Toen Bond opstond, schoof hij ook zijn stoel achteruit en riep vrolijk over de tafel:

'Bedankt voor het lesje. Ik ben u wel een borrel schuldig. Gaat u mee?'

Bond dacht, dat dit wel eens de C.I.A. man kon zijn. En hij bleek gelijk te hebben. 'Ik ben Felix Leiter,' zei de Amerikaan. 'Prettig u te ontmoeten.'

'Ik heet Bond... James Bond.'

'Juist,' zei Leiter, 'en wat zullen we nu eens drinken?'

Bond stond er op, voor Leiter een Haig-and-Haig whisky te bestellen; toen keek hij de barkeeper aan. Een dry martini,' zei hij. 'In een wijd champagneglas.'

'Oui, monsieur.'

'Een ogenblik. Drie delen Gordon gin, één wodka en een half Kina Lillet. Schud 'm goed, totdat hij ijskoud is, en doe er dan een dun citroenschilletje in. Begrepen?'

'Zeker, monsieur.' De barkeeper begon te mixen.

'Dat is nog eens een drankje,' zei Leiter.
Bond lachte. 'Als ik me moet concentreren,' verklaarde hij, 'drink ik nooit meer dan één glas voor het diner. Maar dan moet er ook flink wat in zitten, en de drank moet heel sterk en heel koud zijn, en goed gemixed. Ik haat alle kleine drankjes, en dit is mijn eigen uitvinding. En ik ga er patent op nemen als ik een goeie naam kan bedenken.'
Hij bekeek het beslagen glas met de gouden drank zorgvuldig voordat hij er een flinke teug uit nam.
'Prima,' zei hij tegen de barkeeper, 'maar als je wodka kunt krijgen die van graan in plaats van aardappelen gemaakt is, smaakt het nog beter.'
'Mais n'enculons pas des mouches,' liet hij erop volgen. De barkeeper grinnikte.
'Dat is een vulgaire manier om te zeggen: laten we niet kleingeestig zijn,' verklaarde Bond.
Maar Leiter was nog steeds vol interesse voor Bonds drankje.
'Je hebt er verstand van,' zei hij geamuseerd, toen ze hun glazen naar een tafeltje in een hoek van het zaaltje brachten. Hij liet zijn stem dalen.
'Je zoudt het wel de 'Molotov-Cocktail' kunnen noemen, na vanmiddag.'
Ze gingen zitten. Bond lachte. 'Ik zag, dat de plek op de boulevard afgezet was, en dat de auto's over het trottoir moesten rijden. Ik hoop, dat dit de belangrijke spelers niet af zal schrikken.'
'De mensen nemen wel aan, dat het een communistische rel is geweest, of ze denken, dat er een gasbuis gesprongen is. Vannacht al worden alle verbrande bomen neergehaald, en als ze hier in hetzelfde tempo werken als in Monte Carlo dan is er morgen niets meer te zien.'

Leiter schudde een Chesterfield uit een pakje. 'Ik vind het prettig om in deze zaak met jou samen te werken,' zei hij, naar zijn glas whisky turend, 'en daarom ben ik erg blij dat je dit overleefd hebt. Onze mensen zijn zeer geïnteresseerd in dit geval. Ze vinden het even belangrijk als jullie in Londen; eigenlijk vindt Washington het helemaal niet leuk dat jullie de leiding hebben, maar je weet hoe die grote heren zijn. Dat zal in Londen wel net zo wezen.'

Bond knikte. 'Ze willen elkaar graag een vlieg afvangen,' gaf hij toe.

'Ik sta onder jouw bevel, en ik moet je alle nodige hulp geven. Maar nu Mathis en zijn jongens al hier zijn, zal er voor mij wel niet veel meer te doen zijn. Maar in elk geval: ik ben er.'

'En dat vind ik geweldig,' zei Bond. 'De tegenpartij weet alles van mij, en van jou en Mathis waarschijnlijk ook, en het schijnt, dat ze geen grenzen stellen. En toch ben ik blij, dat Le Chiffre werkelijk zo wanhopig is als we dachten. Het spijt me dat ik je geen speciale opdracht kan geven, maar ik had wel graag dat je vanavond naar het Casino komt. Ik heb een assistente, een miss Lynd, en ik zou graag willen dat je bij haar bleef als ik ga spelen. Je zult het wel prettig vinden. 't Is een knap kind.' Hij lachte tegen Leiter. 'En hou een oogje op zijn lijfwachten. Hij zal wel geen ruzie zoeken, maar je kunt nooit weten.'

'Dan zou ik een handje kunnen helpen,' zei Leiter. 'Ik was bij de mariniers, voordat ik dit baantje kreeg, als je dat tenminste iets zegt.' Hij keek Bond enigszins ironisch aan.

'O ja, inderdaad,' antwoordde Bond.

Leiter bleek uit Texas te komen. Terwijl hij over zijn

werk bij de J.I.S. van de N.A.T.O. sprak en over de moeilijkheden om de veiligheid te handhaven in een organisatie waarin zovele nationaliteiten vertegenwoordigd waren, dacht Bond, dat goeie Amerikanen fijne mensen waren, en dat de meeste van hen uit Texas schenen te komen.

Felix Leiter was ongeveer vijfendertig jaar. Hij was lang en mager, en zijn dun, lichtbruin jasje hing los om zijn schouders, zoals bij Frank Sinatra.

Zijn bewegingen waren langzaam en hij sprak beheerst, maar men had het gevoel, dat hij, als het nodig was, over de nodige snelheid en kracht kon beschikken, en dat hij een niets ontziende vechter zou zijn. Als hij over een tafeltje gebogen zat, leek hij enigszins op een valk. Zijn gezicht gaf door de scherpte van de kin en de jukbeenderen ook die indruk. Zijn grijze ogen hadden iets katachtigs, dat nog versterkt werd door zijn gewoonte, om ze dicht te knijpen tegen de rook van de Chesterfields, die hij onophoudelijk uit een pakje haalde. De rimpeltjes die door deze gewoonte bij zijn ooghoeken waren ontstaan, wekten de indruk dat hij meer met zijn ogen dan met zijn mond lachte. Een bos strokleurig haar gaf zijn gezicht een jongensachtige uitdrukking; bij nadere beschouwing bleek dit maar schijn. Hoewel hij volkomen openlijk over zijn werk in Parijs sprak, viel het Bond op, dat hij het nooit over zijn Amerikaanse collega's in Europa of Washington had, en hij vermoedde, dat Leiter de belangen van zijn eigen organisatie hoger stelde dan die van de N.A.T.O. Bond vond hem sympathiek.

Toen Leiter nog een whisky gedronken had en Bond hem over de Muntzes en over zijn tochtje langs de kust ingelicht had, was het half acht, en ze besloten om samen naar hun hotel te lopen. Voordat Bond het Casino verliet, deponeerde hij zijn hele kapitaal van vierentwintigmiljoen francs bij de kassier; hij hield alleen een paar biljetten van tienduizend francs als zakgeld in zijn zak. Toen ze op weg naar Splendide de boulevard overstaken, zagen ze dat een ploeg werklieden al druk aan het werk was op de plaats van de ontploffing. Verschillende bomen waren al geveld, en grote slangen van drie brandweerauto's spoten de trottoirs en de weg schoon. De bomkrater was verdwenen, en er stonden maar weinig mensen te kijken. Bond vermoedde, dat de Hermitage en de winkeletalages ook al onder handen genomen waren.

In de warme, blauwe schemering was Royale-les-Eaux opnieuw een oord van rust en vrede.

'Aan wiens kant staat de portier?' vroeg Leiter, toen ze bij het hotel kwamen. Bond zei, dat hij dat niet wist. Mathis had hem hierover niet kunnen inlichten. 'Tenzij je hem zelf omgekocht hebt,' had hij gezegd, 'moet je aannemen dat hij door de tegenpartij omgekocht is. Alle portiers zijn omkoopbaar. En je kunt het hen niet kwalijk nemen. Ze worden getraind om alle hotelgasten, behalve maharadja's als dieven en oplichters te beschouwen. Ze zijn net zo bezorgd voor je comfort als krokodillen.'

Bond herinnerde zich deze uitspraak toen de portier haastig kwam informeren of hij al geheel hersteld was van zijn ongelukkige ervaring van die middag. Hij vond het maar verstandig om te antwoorden, dat hij nog een beetje beverig was. Hij hoopte dat Le Chiffre, als deze bewering doorgegeven werd, die avond tenminste bij het begin van het spel de krachten van zijn tegenstander zou onderschatten. De portier zei stroperig, dat hij hoopte, dat Bond weer spoedig hersteld zou zijn.

De kamer van Leiter was op een der bovenste verdiepingen, en ze namen afscheid bij de lift, na afgesproken te hebben, dat ze elkaar om half elf of elf uur, de gebruikelijke aanvangstijd voor het spelen om grof geld, in het Casino zouden treffen.

8 *Schemerlampjes en champagne*

Bond ging naar zijn kamer, waar niemand in was geweest, trok zijn kleren uit, nam een warm bad, gevolgd door een koude douche, en ging op zijn bed liggen. Hij had nog een uur om te rusten en zijn gedachten te verzamelen, voordat hij het meisje in de bar van Splendide zou ontmoeten, een uur om zorgvuldig de details te bestuderen van zijn plannen voor de avond, zowel voor het geval dat hij won, of dat hij verloor. En hij moest een plan ontwerpen voor de rollen van Mathis, Leiter en het meisje, en de reacties van de vijand in alle mogelijke opzichten bekijken. Hij sloot zijn ogen en zijn gedachten volgden zijn fantasieën over een reeks van zorgvuldig in elkaar gezette scènes, alsof hij de door elkaar heen vallende stukjes gekleurd glas in een kaleidoscoop bekeek.

Om kwart voor negen had hij alle mogelijkheden die het gevolg van zijn duel met Le Chiffre zouden kunnen zijn, grondig bekeken. Hij stond op en kleedde zich aan; hij zette alle gedachten aan de toekomst volkomen van zich af.

Terwijl hij zijn dunne, zwarte satijnen das strikte, bekeek hij zichzelf grondig in de spiegel. Zijn blauwgrijze ogen stonden rustig, en de korte lok zwart haar, die nooit op z'n plaats wilde blijven zitten, vormde een dikke komma boven zijn rechterwenkbrauw. Met het smalle, verticale litteken over zijn rechterwang leek hij wel enigszins op een piraat. Hij dacht, dat hij niet erg op

Hoagy Carmichael leek, toen hij een platte, lichte metalen doos met vijftig Morland sigaretten met het driedubbele gouden bandje vulde. Mathis had hem de opmerking van het meisje oververteld.
Hij schoof de doos in zijn heupzak en keek, of zijn Ronsonaansteker nog gevuld moest worden. Nadat hij het dunne stapeltje biljetten van tienduizend francs in zijn zak had gestoken, trok hij een lade open en nam daar een lichte, chamoislederen holster uit, en hing die over zijn linkerschouder, zodat hij ongeveer acht centimeter onder zijn oksel hing. Daarna pakte hij van onder zijn overhemden, uit een andere lade, een zeer platte .25 Beretta automatische revolver, controleerde deze, laadde hem, haalde de veiligheidspal om en deed hem in de zachte, leren holster. Hij keek zorgvuldig rond of hij niets vergeten had, en trok toen zijn smokingjasje aan. Hij voelde zich volkomen op zijn gemak. Hij keek nog eens goed in de spiegel of er werkelijk niets van de platte revolver onder zijn linkerarm te zien was, trok zijn dasje recht, liep de kamer uit en sloot deze af. Toen hij beneden aan de trap stond, hoorde hij de deur van de lift achter zich opengaan, en een koele stem zeggen: 'Goedenavond.'
Het was het meisje. Ze bleef op hem staan wachten. Hij had zich haar schoonheid goed herinnerd. En hij was niet verbaasd, toen hij er weer door gegrepen werd. Haar jurk was van zwart fluweel, eenvoudig en toch van een dergelijke chic die slechts een stuk of zes couturiers in de wereld kunnen bereiken. Ze had een dun, diamanten collier om haar hals en een diamanten clip in de lage v-hals, die juist het zwellen van haar borsten toonde. Ze droeg een eenvoudige zwarte avondtas aan haar gebogen arm, ter hoogte van haar heup. Haar pik-

zwart haar hing recht naar beneden en was iets naar binnen omgekruld. Ze zag er prachtig uit en Bond was verrukt.
'Je ziet er schattig uit. Radio schijnt geen slecht vak te zijn.'
Ze stak haar arm door de zijne. 'Vind je het goed om direct naar de eetzaal te gaan?' vroeg ze. 'Ik wil een imposante entree maken, en zwart fluweel heeft een verschrikkelijk geheim: het plet als je erop gaat zitten. Als je me vanavond hoort gillen, dat weet je, dat ik op een rieten stoel heb gezeten.'
Bond lachte. 'Goed, dan gaan we meteen naar binnen. En dan drinken we een glas wodka terwijl we ons diner bestellen.'
Ze keek hem geamuseerd aan en hij voegde er haastig aan toe: 'Of een cocktail natuurlijk, als je die liever hebt. Het eten is hier het beste in heel Royale.'
Hij werd een ogenblik in de war gebracht door haar lachje bij zijn beslistheid, en door de wijze waarop hij direct gereageerd had.
Het was echter maar een kort ogenblik dat hun degens elkaar kruisten, en toen de buigende maître d'hôtel hen door de volle zaal leidde, was het al vergeten; Bond zag, hoe alle gasten naar haar keken toen hij achter haar aan liep.
De meest gezochte tafeltjes in het restaurant stonden voor het grote raam van de erker die als de achtersteven van een schip in een halve cirkel over de hoteltuin was gebouwd, maar Bond had een tafeltje gereserveerd in een van de nissen met spiegels achterin de grote zaal. Deze stamden nog uit het Edwardiaanse tijdperk, en gaven een intieme indruk. Ze waren wit met goud, en de lampjes aan de wanden en op tafel hadden roodzijden kapjes.

Terwijl ze het uitgebreide menu bestudeerden wenkte Bond de wijnkelner. Hij wendde zich tot het meisje. 'Wat wil je drinken?'
'Graag een glas wodka,' zei ze, een boog zich weer over het menu.
'Een kleine karaf wodka, maar ijskoud,' bestelde Bond. Toen zei hij kortaf tegen haar: 'Ik kan niet op je nieuwe jurk drinken, als ik je voornaam niet weet.'
'Vesper,' zei ze. 'Vesper Lynd.'
Bond keek haar vragend aan.
'Het is nogal vervelend om het altijd maar weer uit te moeten leggen, maar ik werd 's avonds geboren, op een stormachtige avond, volgens mijn ouders. En dat wilden ze zich blijkbaar blijven herinneren.' Ze lachte. 'Sommige mensen vinden het een mooie naam, andere niet. Ik ben eraan gewend.'
'Ik vind het een prachtige naam,' zei Bond. Toen kreeg hij een idee. 'Mag ik hem lenen?' Hij vertelde haar over de speciale martini die hij bedacht had, en waarvoor hij een naam zocht. 'De Vesper', zei hij. 'Dat klinkt geweldig, en zeer geschikt voor dat half duistere uur waarop mijn cocktail over de hele wereld gedronken zal worden. Mag ik 'm gebruiken?'
'Als ik 'm eerst mag proeven,' beloofde ze. 'Het lijkt een cocktail, om trots op te zijn.'
'We zullen er samen een drinken als dit alles voorbij is,' zei Bond. 'Gewonnen of verloren. En weet je al wat je wilt eten? Let maar niet op de prijs,' voegde hij eraan toe, toen hij haar zag aarzelen, 'want aan die jurk ben je wat verschuldigd.'
'Ik heb twee dingen uitgekozen,' zei ze lachend, 'en ze zijn allebei heerlijk, en miljonairsneigingen zijn weleens aardig als je er zeker van bent dat... nu ja, ik zou graag

met kaviaar willen beginnen, en dan een geroosterde kalfsnier met aardappelpuree. En dan aardbeien met veel slagroom. Vind je het heel erg hebberig?'
'Integendeel, het is een goed, eenvoudig maal.' Hij wendde zich tot de maître d' hôtel, 'en veel toast erbij.'
'De moeilijkheid is altijd,' zei hij tegen Vesper, 'niet om genoeg kaviaar, maar om genoeg toast erbij te krijgen.'
'En ik,' ging hij verder, 'had graag, evenals mademoiselle, kaviaar, maar wil dan liever een tournedos hebben, rauw, met béarnaisesaus en artisjokken. En als mademoiselle dan van haar aardbeiden geniet, zal ik een halve avocadopeer met een beetje Franse saus eten. Goed?'
De maître d'hôtel boog. 'Mes compliments, mademoiselle et monsieur. Monsieur George,' zei hij tegen de wijnkelner, en herhaalde de beide diners.
'Parfait,' zei deze, en reikte Bond de wijnkaart aan.
'Als je het goed vindt, zei Bond, 'dan zou ik vanavond champagne willen drinken. Het is een opwekkende wijn, en hoort bij deze gelegenheid... hoop ik,' voegde hij eraan toe.
'Ja, ik ben dol op champagne,' zei ze.
Terwijl hij met zijn vinger op de kaart wees, vroeg Bond aan de wijnkelner: 'De Taittinger 45?'
'Een goeie wijn, monsieur,' zei de wijnkelner, 'maar als monsieur permitteert,' hij wees met zijn potlood, 'de Blanc de Blanc Brut '43 van hetzelfde merk heeft z'n weerga niet.'
Bond lachte. 'Toe dan maar,' zei hij. 'Het merk is niet zo bekend,' verklaarde hij aan het meisje, 'maar het is waarschijnlijk de beste champagne ter wereld.' Hij moest plotseling grinniken om zijn eigen woorden.
'Je moet me maar niet kwalijk nemen,' zei hij. 'Het is een beetje belachelijk, maar ik vind eten en drinken ge-

weldig belangrijk. Misschien wel omdat ik vrijgezel ben, maar ook omdat ik altijd zo op kleinigheden let. Het is eigenlijk erg overdreven, maar als ik aan het werk ben, eet ik meestal alleen, en dan is het minder vervelend als je er wat zorg aan besteedt.'

Vesper lachte tegen hem.

'Ik mag dat wel,' zei ze. 'Ik houd ervan, om alles intens te doen, en overal het meeste uit te halen. Dat vind ik de goeie manier van leven. Maar dat klinkt nogal schoolmeisjesachtig,' voegde ze er verontschuldigend aan toe.

De kleine karaf met wodka was inmiddels op hun tafeltje gezet, en Bond vulde hun glazen.

'Ik ben het roerend met je eens,' zei hij, 'en nu... op ons geluk vanavond, Vesper.'

'Ja,' zei het meisje zachtjes, terwijl ze haar glas ophief en hem recht in de ogen keek. 'Ik hoop, dat alles goed zal aflopen.'

Het leek Bond, alsof ze onwillekeurig haar schouders ophaalde terwijl ze dit zei, maar toen leunde ze impulsief naar voren.

'Ik heb nieuws voor je van Mathis. Hij had het je graag zelf willen vertellen. Het gaat over de bom. Het is een fantastisch verhaal.'

9 *Er wordt baccarat gespeeld*

Bond keek eens rond, maar het was uitgesloten dat ze afgeluisterd konden worden, en de kaviaar moest wachten op de hete toast uit de keuken.
'Vertel het me maar.' Zijn ogen glinsterden van opwinding.
'Ze hebben de derde Bulgaar gepakt, op weg naar Parijs. Hij zat in een Citroën en hij had twee Engelse trekkers als camouflage opgepikt. Bij een der versperringen bleek, dat zijn Frans zo slecht was dat ze hem naar zijn papieren vroegen; toen trok hij zijn revolver en schoot een van de motoragenten dood. Maar de andere kreeg hem te pakken, hoe, weet ik niet, en kon voorkomen dat hij zelfmoord pleegde. Toen namen ze hem mee naar Rouen, en kregen hem aan het praten... op de gebruikelijke Franse manier, denk ik.'
'Blijkbaar maakten zij deel uit van een bende, die men in Frankrijk voor dit soort zaken heeft... saboteurs, moordenaars, en zo... en Mathis' vrienden zijn al bezig de bende op te rollen. Ze zouden tweemiljoen francs krijgen om jou te vermoorden, en de man die hun instructies gaf had hun gezegd, dat ze absoluut geen kans liepen om gepakt te worden als ze hun instructies nauwkeurig na kwamen.'
Ze nam een slokje wodka. 'Maar nu komt het interessante gedeelte. De opdrachtgever gaf hen de twee cameratassen die jij gezien hebt. Hij zei, dat de helle kleu-

ren het gemakkelijker voor hen zou maken: de blauwe tas bevatte een zeer krachtige rookbom, en in de rode bevond zich het explosiemiddel. Als de een de rode tas zou gooien, dan zou de andere op een knopje op de blauwe drukken, en dan konden ze achter het rookgordijn ontsnappen. In werkelijkheid was de rookbom zuiver een verzinsel om de Bulgaren het idee te geven, dat ze op tijd weg zouden kunnen komen. In beide tassen zat eenzelfde bom. Er was helemaal geen verschil tussen de blauwe en de rode tas. De bedoeling was, om zowel jou, als de Bulgaren te vernietigen, zonder dat er een spoor achtergelaten werd. En er zal wel een ander plan bestaan hebben om met de derde man af te rekenen.'

'Ga verder,' zei Bond, vol bewondering voor het ingenieuze plan.

'Blijkbaar vertrouwden de Bulgaren de zaak niet geheel. Ze dachten, dat het beter zou zijn om eerst de rookbom te gooien, en dan pas de echte bom. En daarom zag jij, dat de man met de blauwe tas de knop indrukte voor de zogenaamde rookbom, en toen vlogen ze natuurlijk beiden de lucht in.'

'De derde Bulgaar wachtte achter Splendide om zijn twee vrienden op te pikken. Toen hij zag wat er gebeurde, dacht hij dat ze de zaak verknoeid hadden. Maar de politie wist beslag te leggen op een paar fragmenten van de onontplofte bom uit de rode tas, en die lieten ze hem zien. Toen hij bemerkte, dat ze erin waren gelopen, en dat het de bedoeling was geweest om zijn beide vrienden ook te doden, sloeg hij door. Hij zal nóg wel aan het praten zijn. Maar er is niets dat erop wijst, dat Le Chiffre met dit alles iets te maken heeft. De opdracht kwam van een tussenpersoon, misschien wel van een der lijfwachten van Le Chiffre, maar zijn naam zegt de overlevende Bulgaar absoluut niets.'

Ze eindigde haar verhaal juist toen de kelners met de kaviaar, de toast, kleine schaaltjes met fijngehakte ui en geraspte hardgekookte eieren kwamen.

De kaviaar werd op hun borden geschept, en ze aten een tijdje in stilte.

Toen zei Bond: 'Het is toch wel prettig om een lijk te zijn dat met zijn moordenaars van plaats verwisseld is. Ze vielen in de kuil, die ze voor een ander gegraven hadden. Mathis zal wel tevreden zijn over zijn dag... vijf van de tegenpartij in vierentwintig uur onschadelijk gemaakt,' en hij vertelde haar hoe de Muntzes ontmaskerd waren.

'Tussen twee haakjes,' vroeg hij, 'Hoe ben jij in deze affaire terechtgekomen? Tot welke afdeling behoor je?'

'Ik ben de assistente van het hoofd van afdeling S,' zei Vesper. 'Daar het plan van hem afkomstig was, wilde hij, dat zijn afdeling ingeschakeld werd, en toen heeft hij M gevraagd, of ik kon gaan. Het scheen alleen maar een liaisonjob te zijn, en toen heeft M ja gezegd, hoewel hij tegen mijn chef had opgemerkt, dat jij wel woedend zou zijn als je hoorde, dat je met een vrouw moest samenwerken.' Ze wachtte even, en toen Bond niets zei, ging ze verder.

'Ik ging naar Mathis in Parijs, en kwam met hem hier. Ik heb een vriendin die verkoopster is bij Dior, en ze zag kans om mij deze jurk en die van vanmorgen te lenen; anders had ik me hier niet met goed fatsoen kunnen vertonen.' Ze maakte een gebaar naar de andere gasten.

'Op kantoor benijdden ze me, hoewel ze niet wisten, waar het om ging. Ze wisten alleen maar dat ik met een

'dubbele nul' zou samenwerken. En dat zijn natuurlijk onze helden. Ik was gewoon in de wolken!'
Bond fronste zijn wenkbrauwen. 'Het is niet zo moeilijk om een dubbele nul te krijgen, als je bereid bent om mensen te doden,' zei hij. 'Dat betekent het eigenlijk. En dat is niets om trots op te zijn. Aan de lijken van een Japans cijfer-expert in New York en aan een Noorse spion in Stockholm heb ik het te danken, dat ik een dubbele nul ben. Waarschijnlijk waren het heel nette mensen. Ze werden alleen maar betrokken bij het wereldgebeuren, zoals die Joegoslaaf die Tito afmaakte. Het is een eigenaardig vak, maar als het nu eenmaal je beroep is, dan doe je wat je opgedragen wordt. Hoe vind je dat geraspte ei bij je kaviaar?'
'Een heerlijke combinatie,' zei ze. 'Ik geniet van dit diner. Het is eigenlijk zo jammer...' Ze hield haar mond, gewaarschuwd door de koude blik van Bond.
'Als het niet zakelijk was, zouden we hier niet zijn,' zei hij.
Plotseling betreurde hij de intimiteit van hun dinertje en van hun gesprek. Hij vond, dat hij te veel had gezegd, en dat de verhouding alleen maar zakelijk moest zijn.
'Laten we nu eens nagaan, wat er gedaan moet worden,' zei hij kortaf. 'Ik zal je uitleggen, wat ik ga proberen, en hoe jij me daarbij kunt helpen. Ik ben bang, dat je niet veel zult kunnen doen,' voegde hij eraan toe. 'Dit zijn de feiten.' Hij schetste haar zijn plan, en somde de verschillende eventualiteiten, die hen te wachten stonden, op.
Onder supervisie van de maître d'hôtel werd de tweede gang opgediend, en terwijl ze het heerlijke eten nuttigden, vertelde Bond verder.
Ze luisterde koel, maar gehoorzaam naar hem. Zijn stug-

heid had nogal indruk op haar gemaakt, en ze vond dat ze verstandiger had gedaan, om meer op de waarschuwende woorden van het hoofd van afdeling S te letten. 'Hij is een ernstige werker,' had haar chef voor haar vertrek tegen haar gezegd. 'Denk vooral niet, dat het een leuke baan is. Hij denkt alleen maar aan zijn werk, en terwijl hij daarmee bezig is, is hij een verrekt moeilijke baas. Maar hij is een expert, en die zijn er niet veel, en daarom zal het geen verloren tijd voor je zijn. Hij is knap om te zien, maar wordt in godsnaam niet verliefd op hem. Ik geloof, dat hij nogal harteloos is. Het beste, en pas goed op jezelf.'
Dit alles was een soort uitdaging voor haar geweest, en ze vond het prettig toen ze merkte, dat ze indruk op hem maakte en dat hij zich voor haar interesseerde. Dit voelde ze intuïtief. Maar toen ze een hint gaf dat ze het samen zo prettig hadden, was hij plotseling als ijs geworden, en had zich ruw verweerd, alsof hartelijkheid vergif voor hem was. Ze voelde zich bezeerd en dwaas. Toen beheerste ze zich en concentreerde zich volkomen op zijn mededelingen. Ze zou dezelfde fout niet nog eens maken.
'... en laten we hopen, dat ik geluk zal hebben, en hij niet.'
Bond legde haar toen uit hoe baccarat wordt gespeeld. 'Het lijkt heel veel op andere gokspelletjes. De kansen voor de bankhouder en de speler zijn ongeveer gelijk. We weten, dat Le Chiffre de baccaratbank van het Egyptische Syndicaat, dat de eigenaar is van alle tafels met de hoge inzetten, gekocht heeft. Hij heeft daar éénmiljoen francs voor betaald, en zijn kapitaal bedraagt nu nog vierentwintigmiljoen. Dat bezit ik ook ongeveer. Ik denk, dat er tien spelers zullen zijn, en we zitten om

de bankhouder heen aan een niervormige tafel.'
'Meestal is deze tafel in tweeën verdeeld. De bankhouder speelt dan twee spellen, een tegen de groep links en een tegen de groep rechts van hem. Dan kan hij winnen door de ene groep tegen de andere uit te spelen; hij moet dan natuurlijk prima kunnen rekenen. Maar er zijn nog niet genoeg baccaratspelers in Royale, en Le Chiffre zal zijn geluk proberen tegen de spelers van één groep. Dit is niet gebruikelijk, omdat de bankhouder nu niet zoveel kansen heeft, maar toch is het voordeel enigszins aan zijn kant, en natuurlijk heeft hij controle over de inzetten.
Nu, de bankhouder zit in het midden, met een croupier, om de kaarten te schuiven, en de bedragen af te roepen, en een 'chef de partie' als scheidsrechter. Ik zal proberen, vlak tegenover Le Chiffre te gaan zitten. Vóór hem staat een bak, die zes spellen kaarten bevat, die goed geschud zijn. Er bestaat absoluut geen kans, om daarmee te knoeien. De kaarten worden door de croupier geschud; een van de spelers neemt af; dan worden ze weer, in het volle gezicht van de tafel, in de bak gelegd. We hebben het personeel gecontroleerd, en ze zijn allemaal safe. Het is bijna onmogelijk dat alle kaarten gemerkt zijn: dat zou betekenen, dat de croupier in het komplot zat. In elk geval zullen we daar ook op letten.'
Bond nam een slok champagne, en ging verder.
'Nu gebeurt er het volgende. De bankhouder kondigt bijvoorbeeld een inzet aan van vijfhonderdduizend francs of vijfhonderd pond. Elke stoel is genummerd; de speler rechts van de bankhouder, nr. 1, kan deze inzet accepteren, en zijn geld op tafel leggen, of passen, als hij het te hoog vindt, of geen zin heeft. Dan heeft nr. 2 het recht om in te zetten, en als hij ook weigert, dan nr 3,

en zo verder langs de tafel. Als er geen enkele speler bereid is wordt de inzet aan de hele tafel voorgelegd, en dan doet iedereen mee, soms ook wel de toeschouwers om de tafel, totdat het bedrag van vijfhonderdduizend francs bereikt is. Het gaat hier om een kleine inzet, waarop niemand zal passen, maar als het om een paar miljoen gaat, dan is het dikwijls moeilijk om iemand te vinden, of zelfs, als de bank geluk schijnt te hebben, een hele groep. Dan zal ik het elke keer proberen. Ik bedoel, ik zal elke keer de kans grijpen om de bank van Le Chiffre aan te vallen, totdat een van tweeën alles kwijt is. Dat kan wel even duren, maar uiteindelijk zal de een de ander breken, onafhankelijk van de andere spelers aan de tafel, hoewel ze hem natuurlijk in de tussentijd rijker of armer kunnen maken. Daar Le Chiffre de bankhouder is, staat hij er iets voordeliger voor dan ik, maar daar hij weet, dat ik erop uit ben hem te verslaan, zal dat wel enigszins op zijn zenuwen werken, en daarom hoop ik, dat onze kansen gelijk zullen zijn.'
Hij wachtte even, toen de aardbeien en de avocadopeer kwamen.
Ze aten enige tijd in stilte, en praatten over andere dingen toen de koffie gereserveerd werd. Toen staken ze een sigaret op. Ze dronken geen cognac of likeur. En toen legde Bond haar het eigenlijke spel uit.
'Het is heel eenvoudig,' zei hij, 'en je zult het dadelijk begrijpen als je wel eens eenentwintigen gespeeld hebt. Daarbij gaat het erom, kaarten van de bank te krijgen, die tezamen dichter bij eenentwintig liggen dan de zijne doen. Bij dit spel krijg ik twee kaarten, en de bank ook, en tenzij een van ons direct gewonnen heeft, kan een van ons tweeën, of beiden, nog een kaart krijgen. Het gaat erom, met twee of drie kaarten negen punten te

krijgen, of zo dicht mogelijk hierbij. Poppen en tienen tellen niet mee, een aas telt voor een punt; elke andere kaart heeft zijn eigen waarde. En alleen het laatste cijfer telt mee. Dus negen en zeven is zes... en geen zestien. De winnaar is diegene, die het dichtst bij negen is.'
Vesper luisterde aandachtig, maar ze keek ook naar de gespannen uitdrukking in Bonds ogen.
'Als de bankhouder mij twee kaarten geeft, en ze zijn samen acht, of negen, dan is dat een 'natural'; dan draai ik ze om en heb ik gewonnen, tenzij hij hetzelfde of nog beter heeft. Heb ik dit niet, dan kan ik passen op zeven of zes punten en eventueel om een kaart vragen als ik vijf punten heb en zeker een bijkopen als ik minder dan vijf punten heb. Vijf is het keerpunt bij dit spel. Bij vijf zijn de kansen op winst of verlies even groot.
Pas als ik om een kaart heb gevraagd of tegen mijn kaarten heb geklopt als teken dat ik pas, kan de bankhouder zijn eigen kaarten bekijken. Heeft hij acht of negen punten, dan heeft hij gewonnen. Zo niet, dan staat hij voor dezelfde moeilijkheid als ik. Maar hij wordt door mijn gedragingen geholpen bij zijn besluit om eventueel nog een derde kaart te trekken. Als ik gepast heb, kan hij aannemen, dat ik vijf, zes of zeven punten heb; heb ik een kaart genomen, dan kan hij weten dat ik minder dan zes had, en dat ik mijn spel beter of slechter heb gemaakt met de kaart, die hij me gegeven heeft, en die ik open heb gekregen. En door de waarde van deze kaart weet hij, of hij nog bij moet kopen.
En daarom is hij in het voordeel. Maar het grote probleem bij dit spel is: moet je met vijf punten passen of kopen, en wat zal de tegenpartij met vijf punten doen? Sommige spelers kopen altijd of passen altijd. Ik ga op mijn intuïtie af.

Maar uiteindelijk,' zei Bond, terwijl hij zijn sigaret uitmaakte en om de rekening vroeg, 'gaat het om de achten en negens, en ik moet proberen om die meer dan hij te krijgen.'

10 *De hoge tafel*

Terwijl hij het spel uitlegde en zich verheugde op de komende strijd, was Bonds gezicht weer opgeklaard. Het vooruitzicht, om nu eindelijk zijn krachten met die van Le Chiffre te kunnen gaan meten, had hem opgewonden gemaakt. Hij scheen het korte moment van verwijdering tussen hen volkomen vergeten te zijn, en Vesper was opgelucht, en paste zich bij zijn stemming aan.
Hij betaalde de rekening en gaf de wijnkelner een flinke fooi. Vesper stond op en liep voor hem het restaurant uit.
De grote Bentley stond voor en Bond reed weg; hij parkeerde zo dicht mogelijk bij de ingang van het Casino. Toen ze door de rijk versierde zalen liepen, sprak hij nauwelijks. Ze keek hem aan en zag dat zijn neusvleugels trilden. Verder leek hij volkomen op zijn gemak, en beantwoordde vrolijk de begroetingen van de casinobeambten. Bij de deur van de 'salle privée' vroeg men niet eens naar hun lidmaatschapskaarten. Bonds hoge inzetten hadden hem al een graag geziene gast gemaakt en iedereen die hij meebracht, deelde in die glorie.
Ze waren pas in de grote zaal toen Felix Leiter van een der roulettetafels opstond, en Bond als een oude vriend begroette. Nadat hij aan Vesper Lynd voorgesteld was en ze een paar opmerkingen gemaakt hadden, zei Leiter: 'Vind jij het goed, nu jij vanavond baccarat gaat spelen, dat ik miss Lynd meeneem naar de roulettetafel? Dan kan ik haar laten zien, hoe ik de bank zal laten sprin-

gen. Ik heb drie geluksnummers, die wel gauw uit zullen komen, en ik denk, dat miss Lynd er ook wel een paar heeft. En dan komen we bij jou kijken als je eenmaal goed en wel aan de gang bent.'

Bond keek Vesper vragend aan. 'Dat zou ik enig vinden,' zei ze, 'maar wil jij me een van jouw geluksnummers geven om op te zetten?'

'Ik heb geen geluksnummers,' zei Bond ernstig, 'ik gok op gelijke kansen.

Nu, dan ga ik maar. Ik ben ervan overtuigd, dat mijn vriend Leiter uitstekend voor je zal zorgen.' Hij lachte kort tegen hen beiden, en liep op zijn gemak naar de kassa. Leiter voelde het verwijt.

'Hij is een ernstige gokker, miss Lynd,' zei hij. 'En dat moet hij ook wel zijn. Gaat u mee, dan kunt u nr. 17 zien winnen. U zult het een heerlijke sensatie vinden om een hoop geld voor niets te krijgen.'

Bond was blij, dat hij alleen was, zodat hij zich volkomen kon concentreren op de taak die voor hem lag. Aan de kassa wisselde hij het reçu dat hij die middag gekregen had, tegen vierentwintigmiljoen francs in. Hij verdeelde de stapel bankbiljetten in tweeën en stopte de ene helft in zijn rechterjaszak en de andere helft in de linker. Toen liep hij langzaam door de zaal tussen de drukbezette tafels door, totdat hij aan het eind van de zaal kwam waar de brede baccarattafel achter de koperen leuningen stond te wachten.

De tafel was al flink bezet, en de kaarten lagen omgekeerd, en werden door de croupier geschud, op de manier, waarbij niet de minste kans op bedrog bestaat.

De 'chef de partie' tilde de met fluweel beklede ketting op die toegang tot de tafel gaf.

'Ik heb nr. 6 voor u opengehouden, monsieur Bond.'

Er waren nog drie lege plaatsen aan de tafel. Bond liep naar zijn stoel, die door een 'huissier' achteruitgetrokken werd. Hij ging zitten en knikte naar de spelers die rechts en links van hem zaten. Hij nam zijn grote gunmetal sigarettenkoker en zijn zware Ronsonaansteker uit zijn zak, en legde deze op het groene laken bij zijn rechterelleboog. De 'huissier' veegde met een doek over een dikke glazen asbak, en zette die ernaast. Bond stak een sigaret op en leunde achterover.

De stoel van de bankhouder tegenover hem was nog leeg. Hij keek de tafel langs. Hij kende de meeste spelers van gezicht, maar weinige van naam. Rechts van hem, op nr. 7, zat een monsieur Sixte, een rijke Belg met metaalbelangen in Congo. Op nr. 9 zat Lord Denvers, een gedistingeerde, maar zwak uitziende man, wiens francs waarschijnlijk van zijn rijke Amerikaanse vrouw afkomstig waren; Lady Denvers was van middelbare leeftijd met de roofzuchtige mond van een barracuda; zij zat op nr. 3. Bond dacht, dat zij wel sluw en nerveus zouden spelen, en tot de eerste verliezers zouden horen. Op nr. 1, de plaats rechts van de bankhouder, zat een zeer bekende Griekse speler die eigenaar was van een scheepsroute. Hij zou koel en goed spelen, en het lang volhouden.

Bond vroeg de 'huissier' om een stukje papier, en schreef daar de nummers 2, 4, 5, 8 en 10 op; hij zette er een vraagteken boven, en vroeg de 'huissier' om het aan de 'chef de partie' te geven.

Het papier kwam met ingevulde namen terug.

Op nr. 2, nog steeds onbezet, zou Carmel Delane komen zitten. Zij was een Amerikaanse filmster, en kon het geld opmaken dat haar door drie echtgenoten uitgekeerd werd. Met haar vurig temperament zou ze wel

vrolijk en overmoedig spelen, en zou daarom wel eens geluk kunnen hebben.
Dan kwam Lady Denvers op nr. 3. Nr. 4 en 5 waren mr. en mrs. Du Pont; zij zagen er welgesteld uit, en het was mogelijk, dat zij al het Du Pontgeld achter zich hadden. Bond dacht, dat zij het wel zouden volhouden. Zij zagen er zakelijk uit, en spraken vrolijk met elkaar, alsof ze zich volkomen op hun gemak voelden in deze omgeving. Bond vond het prettig, dat ze naast hem zaten, en hij dacht wel, dat hij met hen en met monsieur Sixte rechts van hem zou kunnen samenspelen als ze bemerkten dat de bank een te hoge inzet had.
Op nr. 8 zat de Maharadjah van een kleine Indische staat; hij had waarschijnlijk zijn hele oorlogsvergoeding bij zich. Bond wist uit ervaring, dat weinig Aziaten moedige gokkers waren, en dat zelfs de veelbesproken Chinezen het hart in de schoenen zonk als ze verloren. Maar de Maharadjah zou waarschijnlijk volhouden, en enige zware verliezen incasseren.
Nr. 10 was een welgedane, jonge Italiaan, signor Tomelli, die waarschijnlijk een groot inkomen had van exorbitante pachten in Milaan, en misschien wild en dwaas zou spelen. Hij zou zijn goede humeur kunnen verliezen, en een scène kunnen maken.
Bond was juist klaar met zijn voorlopige beschouwing van zijn medespelers toen Le Chiffre, met de geluidloze en spaarzame bewegingen van een grote vis, bij de tafel kwam, de spelers een kille glimlach schonk en vlak tegenover Bond in de stoel van de bankhouder ging zitten.
Met dezelfde schaarse bewegingen coupeerde hij de hoge stapel kaarten die de croupier vlak voor zijn lompe handen had gelegd. Toen de croupier met één snel be-

heerst gebaar de zes pakjes kaarten in de bak (of slof) van metaal en hout had gedaan, zei Le Chiffre zachtjes iets tegen hem.
'Messieurs, mesdames, les jeux sont faits. Un banco de cinq cent mille,' en toen de Griek op nr. 1 op de tafel tikte vóór zijn dikke stapel fiches, 'le banco est fait.'
Le Chiffre boog zich over de bak. Hij gaf er een duwtje tegen om de kaarten op hun plaats te krijgen. Toen schoof hij voorzichtig een kaart in de richting van de Griek, nam er zelf een, gaf er nog een aan de Griek en pakte zelf de tweede kaart.
Hij zat onbeweeglijk en raakte zijn kaarten niet aan. Hij keek naar het gezicht van de Griek.
Met zijn platte houten spatel, die op een lange metselaarstroffel leek, pakte de croupier voorzichtig de twee kaarten voor de Griek op en liet ze met een snelle beweging een paar centimeter naar rechts vallen, zodat ze precies voor de bleke, harige handen van de Griek, die onbeweeglijk als twee waakzame, roze krabben op tafel lagen, kwamen te liggen.
De twee roze krabben verplaatsten zich samen, en de Griek pakte de kaarten met zijn grote linkerhand op en boog langzaam zijn hoofd zodat hij, in de schaduw van zijn naar binnen gebogen hand, de waarde van de onderste kaart kon zien. Toen schoof hij met zijn rechterwijsvinger de onderste kaart een beetje opzij, zodat de waarde van de bovenste juist zichtbaar was.
Zijn gezicht was volkomen onbewogen. Hij legde zijn linkerhand op tafel en trok hem toen terug; de twee roze kaarten lagen nu voor hem; hun geheim was nog niet geopenbaard.
Toen keek hij Le Chiffre aan en zei: 'Non.'
Het was duidelijk dat de Griek vijf of zes of zeven pun-

ten had. Om te winnen had de bankhouder acht of negen punten nodig. Had hij die niet, dan had hij het recht om een andere kaart te kopen, waardoor zijn puntental beter of slechter kon worden.
Le Chiffre had zijn handen gevouwen voor zich op tafel gelegd, en zijn beide kaarten lagen een eindje opzij. Met zijn rechterhand pakte hij de twee kaarten op en legde ze open op tafel.
Het was een vier en een vijf, dus samen negen. Hij had gewonnen.
'Neuf à la banque,' zei de croupier kalm. Met zijn spatel draaide hij de twee kaarten van de Griek om. 'Et le sept,' zei hij onbewogen, terwijl hij een zeven en een vrouw oppakte en ze door de grote gleuf in de tafel bij zijn stoel, die uitkomt in de grote, metalen houder waarin alle afgespeelde kaarten terechtkomen, liet verdwijnen. Le Chiffre's kaarten volgden, met het zachte geritsel dat men in het begin altijd hoort voordat de afgelegde kaarten een kussentje op de metalen bodem van hun oubliette gevormd hebben.
De Griek schoof vijf fiches van honderdduizend francs naar voren en de croupier voegde deze bij Le Chiffre's fiche van een half miljoen dat in het midden van de tafel lag. Van elke inzet krijgt het Casino een klein percentage, de cagnotte, en het is gebruikelijk bij hoge inzetten dat de bankhouder dit zelf, óf door een vastgesteld bedrag van te voren óf door bijdragen aan het eind van elk spel toekent, zodat het aandeel van de bank altijd een afgerond getal is. Le Chiffre had de tweede mogelijkheid gekozen. De croupier liet een paar fiches in de gleuf van de tafel, die voor de cagnotte bestemd is, glijden, en kondigde rustig aan:
'Un banco d'un million.'

'Suivi,' mompelde de Griek, waarmee hij aankondigde dat hij het recht om zijn verlies te herstellen, wilde uitoefenen.
Bond stak een sigaret op en ging er eens gemakkelijk voor zitten. Het langdurige spel was begonnen, en de gebaren en de herhaling van deze litanie zouden doorgaan tot het einde. Dan zouden de raadselachtige kaarten verbrand worden, of vernietigd; er zou een kleed over de tafel gelegd worden, en het grasgroene lakenslagveld zou het bloed van zijn slachtoffers opzuigen, en hierdoor verkwikt worden.
De Griek kon, na de derde kaart, niet meer dan vier punten tegen de zeven van de bank opbrengen.
'Un banco de deux millions,' zei de croupier.
De spelers links van Bond zeiden niets.
'Banco,' zei Bond.

11 *Het kritieke moment*

Le Chiffre keek hem ongeïnteresseerd aan; het wit van zijn ogen gaf iets onbeweeglijks en popperigs aan zijn blik. Hij stak langzaam een van zijn dikke handen in de zak van zijn smokingjasje. De hand kwam tevoorschijn met een kleine metalen cilindertje, waarvan hij de dop afschroefde. Hij stopte het uiteinde van de cilinder tweemaal in zijn zwarte neusgaten, en inhaleerde met genot de benzedrinedamp.

Op zijn gemak stak hij het inhalatieapparaatje weer in zijn zak; toen kwam zijn hand weer vlug boven de tafel en gaf de bak kaarten de gebruikelijke harde klap.

Gedurende deze weerzinwekkende pantomime was Bond hem strak blijven aankijken; hij bekeek met kille blik het grote, witte gezicht dat door het kortgeknipte roodbruine haar omringd werd, de onvriendelijke, grote mond en de indrukwekkende brede schouders, waaromheen losjes het smokingjasje hing.

Ware het niet dat het licht op het satijn van de shawlvormige revers scheen, dan had er een dikke minotaurus met een zwart vel op een groen grasveld tegenover hem kunnen zitten.

Bond legde een stapel bankbiljetten op tafel zonder ze te tellen. Als hij zou verliezen dan zou de croupier er het nodige wel afhalen, maar dit gebaar bewees, dat Bond niet verwachtte dat hij zou verliezen, en dat dit alleen maar tot doel had te laten zien, dat geld voor hem geen rol speelde.

De andere spelers voelden de spanning tussen beide gokkers aan, en er heerste stilte toen Le Chiffre de vier kaarten uit de bak haalde.
De croupier schoof de twee kaarten voor Bond met de top van zijn spatel naar hem toe. Bond, die nog steeds Le Chiffre aankeek, strekte zijn rechterhand uit, bekeek snel zijn kaarten en wierp deze met een verachtelijk gebaar open op tafel.
Het was een vier en een vijf... samen negen.
De tafel slaakte een zucht van afgunst, en de spelers links van Bond wisselden sombere blikken omdat zij het tweemiljoen francs bod niet aanvaard hadden.
Le Chiffre haalde nauwelijks merkbaar zijn schouders op en legde zijn eigen kaarten open. Toen duwde hij ze met één vinger weg. Het waren twee waardeloze boeren.
'Le baccarat,' zei de croupier, toen hij de dikke fiches over de tafel naar Bond schoof.
Bond stopte ze in zijn rechterzak, bij het stapeltje bankbiljetten. Zijn gezicht verried geen enkele emotie, maar hij was blij, dat de eerste slag voor hem was.
De Amerikaanse dame, die links van hem zat, Mrs. Du Pont, keek hem met een wrang glimlachje aan.
'Ik had het u niet moeten laten winnen,' zei ze. 'Direct nadat de kaarten gegeven waren, kon ik mezelf wel een schop geven.'
'We zijn nog maar aan het begin,' zei Bond. 'Misschien bent u de volgende keer wel blij als u gepast hebt.'
Mr. Du Pont leunde naar voren, langs zijn vrouw heen. 'Als je elke keer geluk had, zou niemand van ons hier zijn,' zei hij filosofisch.
'Maar ik wel,' lachte zijn vrouw. 'Jij denkt zeker, dat ik dit niet voor mijn plezier doe!'
Toen het spel verder ging, nam Bond de toeschouwers,

die over de koperen stangen om de tafel leunden, eens goed op. Hij ontdekte al gauw de twee lijfwachten van Le Chiffre. Ze stonden samen achter hem. Ze zagen er respectabel genoeg uit, maar vielen toch enigszins uit de toon.
De man, die min of meer achter de rechterarm van Le Chiffre stond, was lang; in zijn smoking zag hij eruit, alsof hij naar een begrafenis moest. Zijn gezicht was grauw en wezenloos, maar zijn ogen flonkerden en glinsterden als die van een tovenaar. Zijn lange gestalte maakte een rusteloze indruk, en zijn handen schoven voortdurend over de leuning heen en weer. Bond vermoedde, dat hij zonder belangstelling en zonder mededogen zou moorden, en dat zijn voorkeur wel naar wurgen uit zou gaan. Zijn onmenselijkheid kwam niet uit infantilisme voort, maar uit verdovende middelen.
De oudere man leek op een Corsicaanse winkelier. Hij was klein en heel donker, en had een plat hoofd met dik, vettig haar. Hij leek kreupel te zijn. Een bonkige malaccastok met een rubberen dop hing naast hem over de leuning. Hij zou speciale toestemming hebben moeten vragen om de stok mee in het Casino te mogen nemen, dacht Bond; hij wist, dat er nóch stokken, nóch andere voorwerpen mee naar binnen genomen mochten worden, dit als voorzorg tegen geweldpleging. Hij zag er glimmend en goedgevoed uit. Zijn mond hing half open, waardoor zijn slechte tanden te zien kwamen. Hij droeg een zware, zwarte snor, en zijn handen waren met zwart haar bedekt. Bond dacht, dat hij wel helemaal behaard zou zijn, en dat hij er naakt maar obsceen uit zou zien.
Het spel ging zonder veel emotie verder, maar met een gering voordeel van de bank.

De derde slag is de 'geluidsbarrière' bij chemin-de-fer en baccarat. Je geluk kan de eerste en de tweede proef doorstaan, maar bij het derde spel keert de kans meestal. Op dit punt aangekomen val je meestal met een klap terug op de aarde. En zo ging het nu ook. Na twee uur had de bank toch tienmiljoen Francs verloren. Bond had er geen idee van hoeveel Le Chiffre de laatste twee dagen gewonnen had. Hij schatte het op vijfmiljoen, en vermoedde dat zijn kapitaal tot twintigmiljoen geslonken zou zijn.

In werkelijkheid had Le Chiffre de hele middag zwaar verloren. Hij had nog maar tienmiljoen over.

Om een uur 's nachts had Bond viermiljoen gewonnen, en beschikte nu over achtentwintigmiljoen.

Hij was nogal in zijn schik. Le Chiffre vertoonde geen spoor van enige emotie. Hij speelde door als een automaat, zonder een woord te spreken, behalve als hij zachtjes zijn instructies aan de croupier gaf bij het begin van elk spel.

Buiten het waas van stilte, dat om de baccarattafel hing, hoorde men het voortdurend gegons van de tafels waar chemin-de-fer, roulette en trente-et-quarante gespeeld werd, de duidelijke uitroep van de croupiers en af en toe gelach of opgewonden kreten uit verschillende hoeken van de grote zaal.

Op de achtergrond van dit alles hoorde men steeds de verborgen metronoom van het Casino; elke tik, veroorzaakt door het draaien van het wiel of het vallen van een kaart, vertegenwoordigde één procent.

Het was tien minuten over een op Bonds horloge toen de aard van het spel plotseling veranderde.

De Griek op nr. 1 had nog steeds geen geluk. Hij had tweemaal een half miljoen verloren, en paste nu; de in-

zet van de bank bedroeg tweemiljoen. Carmel Delane op nr. 2 en Lady Danvers op nr. 3 pasten ook.
De Du Ponts keken elkaar aan.
'Banco,' zei mrs. Du Pont, en verloor prompt tegen de acht punten van de bankhouder.
'Un banco de quatre millions,' zei croupier.
'Banco,' zei Bond, en schoof een stapeltje biljetten naar voren.
Weer keek hij Le Chiffre strak aan. Weer keek hij nauwelijks naar zijn kaarten.
'Neen,' zei hij. Hij had vijf punten. De positie was gevaarlijk.
Le Chiffre draaide een boer en een vier. Hij nam een derde kaart; het was een drie.
'Sept à la banque,' zei de croupier, 'et cinq,' voegde hij eraan toe, terwijl hij de kaarten van Bond omdraaide. Hij harkte Bonds geld naar zich toe, haalde er viermiljoen francs af en schoof de rest van het geld naar Bond terug.
'Un banco de huit millions.'
'Suivi,' zei Bond.
En verloor opnieuw, tegen de negen punten van Le Chiffre.
In twee spellen had hij twaalfmiljoen verloren. Hij had nog zestienmiljoen over, precies het bedrag van het volgende banco.
Plotseling brak het zweet hem uit. Zijn kapitaal was als sneeuw voor de zon verdwenen. Met de begerigheid van de winnende gokker trommelde Le Chiffre met de vingers van zijn rechterhand op tafel. Bond keek in zijn donkere, keiharde ogen. Het was alsof ze wilden zeggen. 'Ga je tot het uiterste?'
'Suivi,' zei Bond zachtjes.
Hij nam wat biljetten en fiches uit zijn rechter- en de hele

stapel biljetten uit zijn linkerzak, en schoof ze naar voren. Niets duidde erop, dat dit zijn laatste spel zou zijn. Zijn mond was zo droog als leer. Hij keek op en zag Vesper en Felix Leiter op de plaats van de lijfwacht met de stok staan. Hij wist niet, hoe lang ze daar al stonden. Leiter zag er bezorgd uit, maar Vesper lachte hem toe. Plotseling hoorde hij een zwak geluid achter zich; hij draaide zijn hoofd om. De rij slechte tanden onder de zwarte snor gaapte hem dom aan.

'Le jeu est fait,' zei de croupier, en de twee kaarten gleden over het groene laken naar hem toe... het groene laken, dat nu niet langer zacht was, maar grof, en verstikkend, en van een hardgroene kleur als op een nieuw graf. Het licht van de grote lampen, dat zo vriendelijk had geschenen, leek de kleur uit zijn handen weg te trekken toen hij zijn kaarten bekeek. Hij keek nog eens. Het kon bijna niet slechter... hartenkoning en een aas, het schoppenaas. Het loerde naar hem als een zwarte vrouwtjesspin.

'Een kaart.' Hij had zijn stem nog steeds onder controle. Le Chiffre bekeek zijn eigen kaart. Hij had een vrouw en een zwarte vijf. Hij keek Bond aan en drukte een derde kaart uit de bak. De tafel was doodstil. Hij bekeek de kaart en wierp hem neer. De croupier pakte hem voorzichtig op met zijn spatel en gaf hem aan Bond. Het was een mooie kaart, hartenvijf, maar voor Bond leek het een moeilijke vingerafdruk in opgedroogd bloed. Hij had nu zes punten, en Le Chiffre vijf, maar de bankhouder, die dus zelf vijf punten had en een vijf gegeven had, moest natuurlijk nog een kaart trekken, en zijn aantal punten proberen te verhogen met een één, een twee, een drie of een vier. Trok hij een andere kaart, dan zou hij verslagen zijn.

De kansen waren aan Bonds zijde, maar nu was het Le Chiffre die hem strak aankeek, en nauwelijks een blik op de kaart, die hij opèn gooide, wierp.
Het was de beste, een vier, zodat hij negen punten had.
Hij had gewonnen.
Bond was verslagen en blut.

12 *De dodende stok*

Bond zat stil, volkomen vernietigd. Hij knipte zijn grote sigarettenkoker open en nam een sigaret. Hij pakte zijn Ronson, stak de sigaret aan en legde de aansteker naast zich op tafel. Hij zoog de rook in zijn longen en liet die met een zacht gesis door zijn tanden ontsnappen.

Wat nu? Terug naar het hotel, en naar bed, om de medelijdende ogen van Mathis en Leiter en Vesper te ontwijwijken. Op telefonisch bevel terug naar Londen en dan morgen met het vliegtuig naar huis, met een taxi naar Regent's Park, de trap op, de gang door, en M's koele blik over zijn bureau, zijn geforceerde sympathie, zijn 'Volgende keer beter', er zou natuurlijk geen volgende keer zijn, nooit meer een kans als deze.

Hij keek naar de spelers en de toeschouwers. Maar er werd niet op hem gelet. Ze keken in afwachting naar de croupier, die het geld telde en de fiches in kleurige stapeltjes voor de bankhouder zette, in afwachting of er iemand de uitdaging van het grote bedrag van tweeëndertigmiljoen francs zou aanvaarden, dit wonderbaarlijke geluk van de bank.

Leiter was verdwenen. Bond dacht, dat Leiter hem wel liever niet zou willen aankijken na deze debâcle. Maar Vesper zag er zeldzaam onbewogen uit en knikte hem bemoedigend toe. Maar zij wist niets van het spel af, dacht Bond. Ze had waarschijnlijk geen idee van de bitterheid van zijn nederlaag.

De 'huissier' kwam naar Bond toe en boog zich over

hem heen. En legde een enveloppe naast hem op tafel. De enveloppe was zo dik als een dictionaire. Hij mompelde iets over de kassa. En ging toen weer weg.
Bonds hart klopte opeens hevig. Hij pakte de zware enveloppe op en scheurde hem onder de tafel met de nagel van zijn duim open. De gom was nog nat.
Het was ongelooflijk, maar waar: hij voelde een dik pak bankbiljetten. Hij stopte ze in zijn zakken, en maakte het halve velletje postpapier, dat door middel van een speld aan het bovenste biljet was bevestigd, los. Onder tafel bekeek hij het. Er stond één regel op geschreven: 'Marshall Hulp Tweeëndertig miljoen francs. Met de groeten van de U.S.A.'.
Bond slikte eens. Hij keek naar Vesper. Felix Leiter stond weer naast haar. Hij grinnikte, en Bond lachte terug en stak zijn hand met zegenend gebaar omhoog. Toen probeerde hij alle gedachten aan zijn volkomen nederlaag te onderdrukken. Dit betekende een uitstel, maar ook niet meer dan dat. Er zouden geen wonderen meer gebeuren. Deze keer moest hij winnen... als Le Chiffre zijn vijftig miljoen tenminste nog niet bij elkaar had, en verder speelde.
De croupier had zijn taak volbracht; hij had het aandeel voor de cagnotte berekend, had Bonds bankbiljetten voor fiches geruild en had een reusachtige stapel van de enorme inzet op het midden van de tafel gemaakt. Daar lagen tweeëndertigduizend pond. Bond dacht, dat Le Chiffre misschien nog één spel moest winnen, bijvoorbeeld met een kleine inzet van een paar miljoen francs, om zijn doel te bereiken. Dan zou hij zijn vijftigmiljoen francs bij elkaar hebben en de tafel verlaten. Morgen zouden zijn tekorten aangezuiverd, en zijn positie weer verzekerd zijn.

Hij maakte echter niet de indruk spoedig te zullen vertrekken, en Bond vermoedde opgelucht, dat hij Le Chiffre's geldmiddelen overschat moest hebben.
Hij wist, dat het er nu om ging, alles op alles te zetten. Niet de bank met de tafel delen, of met een klein bedrag meedoen: niet alleen A, maar ook B zeggen. Dat zou Le Chiffre een schok geven. Hij zou het helemaal niet prettig vinden, om meer dan tien of vijftienmiljoen van de inzet gedekt te zien, en hij kon onmogelijk verwachten, dat iemand de gehele inzet zou accepteren.
Het was mogelijk, dat hij niet wist, dat Bond uitgekleed was, maar hij zou wel vermoeden, dat Bond nu nog maar over kleine reserves beschikte. Van de inhoud van de enveloppe zou hij wel niets afweten. Wist hij het wel, dan zou hij de inzet wel terugtrekken, en weer de moeizame weg af gaan leggen vanaf het vijfhonderdduizend francs openingsbod.
Zijn veronderstelling was juist.
Le Chiffre had nog achtmiljoen nodig.
Eindelijk knikte hij. 'Un banco de trente-deux millions.'
Met luide trotse stem nam de 'chef de partie' de kreet over, in de hoop, 'groot geld' van de chemin-de-fer tafels aan te trekken. Bovendien was dit een geweldige reclame. Deze inzet was slechts eens in de geschiedenis van het baccaratspel voorgekomen, en wel in Deauville, in 1950. Het concurrerende Casino de la Forêt in le Touquet had nog nooit zoiets meegemaakt.
En toen leunde Bond iets naar voren.
'Suivi,' zei hij rustig.
Er klonk een opgewonden gemompel rond de tafel. Het ging als een lopend vuurtje door het Casino. En de mensen drongen naar voren. Tweeëndertigmiljoen! Voor de meeste was het een groter bedrag dan zij ooit in hun le-

ven verdiend hadden. Het was een klein fortuin.
Een der directeuren van het Casino overlegde met de 'chef de partie'. Deze wendde zich verontschuldigend tot Bond.
'Excusez-moi, monsieur. La mise?'
Dit betekende, dat Bond moest kunnen aantonen, dat hij over het nodige geld beschikte. Ze wisten natuurlijk, dat hij een zeer welgesteld man was, maar per slot van rekening ging het om tweeëndertigmiljoen!
En soms gebeurde het wel, dat wanhopige mensen zonder een sou gingen spelen, en dan vrolijk de gevangenis ingingen als ze verloren.
'Mes excuses, monsieur Bond,' voegde de 'chef de partie' er onderdanig aan toe.
Toen Bond de grote stapel bankbiljetten op tafel legde, en de croupier de biljetten van tienduizend francs ging tellen, zag hij Le Chiffre een blik van verstandhouding met zijn lijfwacht, die vlak achter Bond stond, wisselen. Onmiddellijk daarna voelde hij iets hards tegen zijn rug drukken.
Op hetzelfde moment hoorde hij, vlak achter zijn rechteroor, een stem met een zuidelijk accent zacht, maar dringend zeggen:
'Dit is een revolver, monsieur. Volkomen geluidloos. En hij kan uw ruggegraat zonder enig gerucht geheel vernietigen. Het zal lijken, dat u flauw gevallen bent. En ik zal weg zijn. Trek uw bod terug, vóórdat ik tot tien geteld heb. Als u om hulp roept, schiet ik.'
De stem klonk overtuigend. En Bond geloofde hem. Deze lieden hadden reeds getoond, dat ze tot het uiterste gingen. En nu begreep hij ook de bedoeling van de zware wandelstok. Bond kende het soort wapen. De loop bestond uit een reeks van zachte, rubberen plaat-

jes, die het geluid absorbeerden, maar de kogel wel doorlieten. Dit wapen was in de oorlog ontworpen en voor sluipmoorden gebruikt. Bond had het zelf getest.
'Un,' zei de stem.
Bond draaide zich om. Daar stond de man en boog zich over hem heen, terwijl hij onder zijn zwarte snor Bond vriendelijk toelachte, alsof hij hem geluk wenste; hij voelde zich in de drukte en temidden van het opdringende publiek volkomen safe.
De verkleurde tanden klemden zich op elkaar. 'Deux,' zei de grinnikende mond.
Bond draaide zich weer om. Le Chiffre keek hem strak aan, met glinsterende ogen. Zijn mond stond open en hij haalde snel adem. Hij wachtte, wachtte erop, dat Bond een gebaar naar de croupier zou maken, of dat Bond plotseling achterover in zijn stoel zou zakken, en met vertrokken gezicht een schreeuw zou geven.
'Trois.'
Bond keek naar Vesper en naar Felix Leiter. Ze stonden lachend samen te praten. De dwazen. Waar was Mathis? En waar waren al die prima mensen van hem!?
'Quatre.'
En de andere toeschouwers? Dat stelletje kwebbelende idioten? Zag dan niemand wat er gebeurde? De 'chef de partie', de croupier, de 'huissier'?
'Cinq.'
De croupier legde de biljetten weer op nette stapels. De 'chef de partie' boog lachend voor Bond. Onmiddellijk, als de stapel klaar zou zijn, zou hij aankondigen: 'Le jeu est fait,' en de revolver zou afgeschoten worden, of de moordenaar al tot tien had geteld of niet.
'Six.'
Bond nam een besluit. Het wás een kans. Hij bracht

zijn handen naar de hoeken van de tafel, greep die stevig beet, en drukte zich stijf tegen zijn stoel; hij voelde het scherpe vizier tegen zijn stuitbeen.
'Sept.'
De 'chef de partie' wendde zich tot Le Chiffre, met opgetrokken wenkbrauwen, in afwachting van het knikje van de bankhouder, dat hij wilde beginnen.
Plotseling gooide Bond zich met alle kracht, waarover hij beschikte, achterover. Zijn beweging deed de stoel zo snel vallen, dat de rugleuning tegen de malaccastok aankwam, en hem uit de handen van de moordenaar wrong voordat deze de trekker kon overhalen.
Bond sloeg tussen de voeten van de toeschouwers tegen de grond, met zijn benen in de lucht. De rugleuning van de stoel werd volkomen versplinterd. Er klonken uitroepen van schrik. De toeschouwers weken terug, en toen drongen ze gerustgesteld, weer naar voren. Hij werd op de been geholpen en afgeschuierd. De 'huissier' praatte opgewonden met de 'chef de partie'; een schandaal moest tot elke prijs vermeden worden.
Bond hield zich aan de koperen leuning vast. Hij zag er verlegen en ontdaan uit. Hij streek met zijn hand langs zijn voorhoofd.
'Een moment van zwakte,' zei hij. 'Het heeft niets te betekenen... de opwinding, en de hitte...'
Men sprak woorden van sympathie. Volkomen natuurlijk, bij dit ongelooflijke spel. Zou monsieur liever weggaan misschien, of even gaan liggen? Moest er een dokter gehaald worden?
Bond schudde ontkennend zijn hoofd. Hij was weer geheel in orde. En hij maakte zijn excuses. Ook tegenover de bankhouder.

Er werd een andere stoel gehaald, en hij ging zitten. Hij keek Le Chiffre aan. Hij had een gevoel van opluchting, dat hij nog steeds in leven was, maar ook een gevoel van triomf over wat hij zag... een blik van vrees in dat dikke, bleke gezicht.

Bonds medespelers bogen zich over de tafel heen, en uitten hun bezorgdheid over de hitte, en het late uur, en de rook en de slechte ventilatie.

Bond antwoordde beleefd. Hij draaide zich om, teneinde het publiek achter zich te bekijken. Er was geen spoor van zijn aanvaller te bespeuren, en de 'huissier' keek rond om de eigenaar van de malaccastok te zoeken. De stok scheen onbeschadigd. Maar er zat geen rubberen dop meer aan. Bond wenkte hem.

'Geef hem maar aan die heer daar,' zei hij, terwijl hij op Felix Leiter wees, 'die neemt hem wel mee. Hij is een kennis van hem.'

De 'huissier' boog.

En Bond dacht grimmig, dat een kort onderzoek Leiter duidelijk zou maken, waarom hij zo'n figuur in het publiek had geslagen.

Hij ging rechtop zitten en klopte op het groene kleed ten teken dat hij klaar was.

13 *'Een fluistering van liefde, een fluistering van haat'*

'La partie continue,' kondigde de 'chef de partie' uitdrukkelijk aan. 'Un banco de trente-deux millions.'
De toeschouwers drongen naar voren. Le Chiffre gaf een klap op de bak met kaarten. Hij bedacht zich, haalde de benzedrine uit zijn zak en inhaleerde diep.
'Vuil beest,' zei mrs. Du Pont aan Bonds linkerzijde.
Bond kon weer helder denken. Door een wonder was hij aan een afschuwelijke verwonding ontsnapt. Hij was kletsnat onder zijn armen. Maar het succes van zijn truc met de stoel had alle herinneringen aan het gevoel van verslagenheid uitgewist.
Hij had zich als een dwaas aangesteld. Het spel was minstens tien minuten onderbroken geweest, wat in een behoorlijk casino ongehoord is, maar nu lagen de kaarten op hem te wachten. En ze mochten hem nu niet in de steek laten. Hij voelde zich opleven bij het vooruitzicht wat hem te wachten stond.
Het was twee uur in de morgen. Er stond een brede kring toeschouwers om de baccarattafel, en er werd nog aan drie chemin-de-fer tafels gespeeld.
In de stilte, die om zijn eigen tafel heerste, hoorde Bond plotseling de stem van een croupier: Neuf. Le rouge gagne, impair et manque.'
Was dit een teken voor hem of voor Le Chiffre?
De twee kaarten gleden over de groene zee naar hem toe. Als een octopus onder een rots zat Le Chiffre hem van de andere kant van de tafel op te nemen.

Bonds hand was vast toen hij de kaarten opnam. Zou het negen of acht worden? Hij bekeek ze. Zijn kaakspieren vertrokken en hij klemde zijn tanden op elkaar. Zijn hele lichaam spande zich in een soort zelfverdediging.
Hij had twee vrouwen, twee rode vrouwen.
Ze keken hem vanuit de schaduw van zijn hand guitig aan. Het kon niet slechter. Het was niets. Nul. Baccarat.
'Een kaart,' zei Bond, terwijl hij probeerde zijn stem niet hopeloos te doen klinken. Hij voelde de blik van Le Chiffre tot in zijn hersens doordringen.
De bankhouder legde langzaam zijn eigen twee kaarten open. Hij had drie punten... een heer en een zwarte drie. Bond liet langzaam de rook van zijn sigaret ontsnappen. Hij had nog een kans. Nu zou het erom gaan. Le Chiffre duwde tegen de doos, pakte er een kaart uit... Bonds noodlot... en draaide die langzaam om. Het was een negen, een heldere hartennegen, de kaart, die volgens de zigeuners een 'fluistering van de liefde' en een 'fluistering van de haat' betekent, de kaart, die voor Bond bijna zeker de overwinning betekende.
De croupier schoof de kaart naar voren. Voor Le Chiffre betekende het niets. Bond zou één punt gehad kunnen hebben, in welk geval hij nu tien punten zou hebben, of niets, of baccarat, zoals dat heet. Of hij had twee, drie, vier of vijf punten kunnen hebben. In welk geval hij er nu, samen met de negen, vier zou hebben.
Drie punten in de hand, en negen gegeven betekent een van de betwistbare situaties van het spel. Er is voor beide mogelijkheden: wel een kaart trekken, of geen, iets te zeggen. Bond liet het de bankhouder uitvechten. Daar zijn negen alleen nog maar verslagen

kon worden door een zes van Le Chiffre, had hij bij een vriendschappelijk spel beslist zijn kaarten open gelegd.

Bonds kaarten lagen voor hem op tafel, de twee onpersoonlijke zachtrose ruggen en de open hartennegen. Voor Le Chiffre kon die negen van alles betekenen. Het hele geheim lag in de andere kant van die twee roze ruggen, waar de beide koninginnen het groene laken kusten.

Het zweet liep tappelings langs de haviksneus van Le Chiffre. Met zijn dikke tong likte hij een druppel van een mondhoek weg. Hij keek naar Bonds kaarten, en toen naar zijn eigen, en toen weer naar die van Bond. Toen haalde hij zijn schouders op en nam een kaart uit de bak.

Hij bekeek hem. De tafel strekte de hals. Het was een mooie kaart, een vijf.

'Huit à la banque,' zei de croupier.

Bond zat doodstil; Le Chiffre grinnikte plotseling wolfsachtig: hij móést gewonnen hebben!

De spatel van de croupier maakte als het ware een verontschuldigende beweging over de tafel. Er was niemand die niet geloofde dat Bond verslagen was.

De spatel keerde de twee kaarten om. De vrolijke, rode dames glimlachten tegen het licht.

'Et le neuf.'

De tafel slaakte een zucht, en toen klonken er opgewonden stemmen. Bond richtte zijn blik op Le Chiffre. De grote man viel achterover in zijn stoel, alsof hij midden in het hart was geraakt. Hij hapte naar adem en zijn rechterhand greep naar zijn keel. Zijn lippen waren spierwit.

Toen de grote stapels fiches over de tafel naar Bond

werd geschoven, greep Le Chiffre in zijn binnenzak, en gooide een stapel bankbiljetten voor zich neer. De croupier telde het geld.
'Un banco de dix millions,' zei hij. Hij gaf tien fiches van een miljoen aan Le Chiffre.
En dit is dan het einde, dacht Bond. Deze man kan niet meer terug. Dit is zijn laatste geld. Hij is op het punt aangekomen waar ik een half uur geleden op stond, en hij doet hetzelfde als ik. Maar als deze man verliest, dan zal er niemand zijn die hem te hulp komt; er zal geen wonder gebeuren.
Bond leunde achterover en stak een sigaret op. Naast hem, op een klein tafeltje was er een halve fles Clisquot met een glas verschenen. Zonder te vragen wie de gever was, vulde Bond het glas tot aan de rand en dronk het in twee grote teugen leeg.
Toen vouwde hij zijn armen over elkaar; de spelers aan zijn linkerkant zeiden niets.
'Banco,' zei hij tegen Le Chiffre.
Weer werden er twee kaarten voor hem neergelegd, en de croupier duwde ze in de groene lagune tussen de uitgestrekte armen.
Bond pakte met zijn rechterhand de kaarten, keek er vluchtig naar en wierp de kaarten open in het midden van de tafel.
'Le neuf,' zei de croupier.
Le Chiffre staarde naar zijn eigen twee zwarte heren.
'Et le baccarat,' en de croupier schoof de hoge stapels fiches over de tafel.
Le Chiffre zag ze verdwijnen in de richting van die andere miljoenen, die in de schaduw van Bonds linkerarm lagen; toen stond hij langzaam op en zonder een woord te zeggen liep hij naar de fluwelen ketting en

maakte deze los. De toeschouwers maakten plaats voor hem. Ze keken hem nieuwsgierig aan, en ook bevreesd, alsof hij de geur van de dood bij zich droeg. Toen verdween hij uit het gezicht.
Bond stond op. Hij nam een fiche van honderdduizend francs van de stapels naast hem, en schoof deze over de tafel naar de 'chef de partie'. Hij weerde de overdadige dankbetuigingen af, en vroeg de croupier er voor te willen zorgen, dat zijn geld naar de kassa werd gebracht. De andere spelers stonden ook op. Als er geen bankhouder was, kon er niet gespeeld worden, en het was nu half drie. Bond wisselde een paar vriendelijke woorden met zijn buren, en dook toen onder de leuning door; Felix Leiter en Vesper stonden hem op te wachten.
Samen liepen ze naar de kassa. Bond werd verzocht om in het privékantoor van de Casino-directie te komen. Op een der bureaus lagen zijn grote stapels fiches. Hij voegde er de inhoud van zijn zakken aan toe.
In totaal was het meer dan zeventigmiljoen francs.
Bond nam Leiters geld in bankbiljetten op; men gaf hem voor de resterende veertigmiljoen francs een cheque op de Crédit Lyonnais. Hij werd hartelijk gelukgewenst met zijn succes. De directeuren spraken de hoop uit, dat hij die avond weer zou komen spelen.
Bond gaf een ontwijkend antwoord. Hij liep naar de bar, en gaf Leiter zijn geld terug. Ze bespraken even het spel bij een fles champagne. Leiter haalde een .45 kogel uit zijn zak en legde die op tafel.
'Ik heb de stok aan Mathis gegeven,' zei hij, en hij heeft hem meegenomen. Hij was even verbaasd als wij door jouw aanval. Hij stond met een van zijn mensen achteraan toen het gebeurde. De moordenaar kwam

zonder moeilijkheden weg. Je kunt je voorstellen hoe ze de pé in hadden toen ze de revolver zagen. Mathis gaf me deze kogel om je te laten zien waar je aan ontsnapt ben. Je ziet wel, dat het een dum-dum kogel is. Je zou er verschrikkelijk aan toe zijn geweest. Maar ze kunnen het Le Chiffre niet op zijn hals schuiven. De man kwam alleen binnen. Ze hebben het formulier dat hij moest invullen om een entreebewijs te krijgen. Natuurlijk deugt er geen letter van. Hij had toestemming om die stok mee naar binnen te nemen. Hij had een bewijs bij zich dat hij oorlogsinvalide was. De organisatie van deze lieden is voortreffelijk. Mathis heeft zijn vingerafdrukken, en die zijn per Belinograaf op weg naar Parijs, zodat we straks wel meer over hem zullen horen.' Felix Leiter stak een nieuwe sigaret op. Enfin, eind goed al goed. In elk geval heb je Le Chiffre vies te pakken gehad, maar we hebben het af en toe wel benauwd gehad. Maar ik denk, jij ook wel.'

Bond lachte. 'Die enveloppe was het geweldigste wat me ooit overkomen is. Ik dacht, dat ik werkelijk aan het eind was. En dat was helemaal geen prettige gedachte. Maar een vriend in nood... ik hoop het je nog eens te kunnen vergelden.'

Hij stond op. Ik ga even naar het hotel om dit weg te brengen,' zei hij, terwijl hij op zijn binnenzak klopte. Ik vind het geen prettig idee om met het doodvonnis van Le Chiffre rond te lopen. Hij zou eens op een idee kunnen komen. En dan zou ik deze nacht willen vieren. Wat vinden jullie daarvan?'

Hij wendde zich tot Vesper. Ze had sinds het eind van het spel nauwelijks een woord gezegd.

'Zullen we een glas champagne in de nachtclub gaan drinken voordat we naar bed gaan? Die club heet de

Roi Galant. Hij is aan de andere kant van de speelzalen en hij ziet er gezellig uit.'
'Dat zou ik enig vinden,' zei Vesper. 'Ik ga me een beetje opknappen, terwijl jij je winst gaat wegbrengen. Ik zie je wel in de hal.'
'En jij, Felix?' Bond hoopte dat hij met Vesper alleen zou zijn.
Leiter keek hem aan, en raadde zijn gedachten.
'Ik zou liever nog wat naar bed gaan voor het ontbijt,' zei hij. "t Is me het dagje wel geweest, en ik denk, dat Parijs me straks wel aan het werk zal zetten. Er zijn nog van die losse eindjes, waar jij je niet druk over hoeft te maken. Maar ik wel. Ik loop met je mee naar het hotel. Het lijkt me een verstandig idee om de zilvervloot veilig de haven in te loodsen.'
Ze staken de boulevard over met de hand op hun revolver. Het was drie uur in de morgen, maar er liepen nogal wat mensen, en op het plein voor het Casino stonden nog altijd auto's.
Er gebeurde niets op de korte wandeling. Toen ze voor het hotel stonden, stond Leiter erop Bond naar zijn kamer te vergezellen. Deze was nog precies zoals Bond hem verlaten had.
'Geen ontvangstcomité,' zei Leiter, 'maar het zou me niets verbazen als ze nog een laatste poging zouden wagen. Vind je dat ik op moeten blijven, en jullie gezelschap moet houden?'
'Ga jij maar slapen,' zei Bond. 'En maak je over ons geen zorgen. Ze zullen in mij geen belang stellen als ik geen geld bij me heb, en daar weet ik wel raad mee. En hartelijk bedankt voor alles wat je gedaan hebt. Ik hoop, dat we samen nog eens wat te doen krijgen.'
'Dat hoop ik ook,' zei Leiter, 'zolang jij een negen

krijgt als je die nodig hebt... en Vesper meebrengt,' voegde hij er op droge toon aan toe. Hij liep de kamer uit en sloot de deur.

Bond was blij dat hij, na de nerveuze spanning van drie uur spelen en de drukte in de speelzaal, een moment alleen kon zijn, en door zijn pyjama op zijn bed en zijn haarborstels op de toilettafel verwelkomd werd. Hij ging naar de badkamer, bette zijn gezicht met koud water en gorgelde met een scherp mondwater. Hij voelde eens aan de builen op zijn achterhoofd en zijn rechterschouder. En hij dacht eraan, hoe hij tweemaal die dag aan de dood ontsnapt was. Zou hij de hele nacht op hen moeten wachten, of zou Le Chiffre nu al op weg naar Le Havre of Bordeaux zijn om een boot te pakken naar een of ander hoekje in de wereld, waar hij aan de blikken en de wapens van de SMERSH kon ontsnappen?

Bond haalde zijn schouders op. Hij keek een ogenblik in de spiegel en vroeg zich af, hoe Vesper tegenover het leven stond. Hij verlangde naar haar koud en arrogant lichaam. Hij wilde tranen en verlangen in haar koele, blauwe ogen zien, en haar zwarte haren in zijn handen voelen, en haar lange gestalte achterover buigen. Bonds ogen vernauwden zich, en kregen een hongerige uitdrukking.

Hij draaide zich om en haalde de cheque voor veertigmiljoen francs uit zijn zak. Hij vouwde deze zeer smal op. Toen maakte hij de deur open en keek de gang in. Hij liet de deur wagenwijd open staan, en terwijl hij zijn oren spitste voor voetstappen ging hij met een kleine schroevedraaier aan het werk.

Vijf minuten later wierp hij een laatste blik op het werk van zijn handen, vulde zijn sigarettenkoker opnieuw, sloot zijn deur af en verliet het hotel.

14 *'La vie en rose?'*

De ingang van de Roi Galant bestond uit een gouden schilderijlijst van zeven voet; deze had misschien eens het portret van een edelman omlijst. De club was een hoekje van de 'keuken', de zaal waar roulette en boule gespeeld konden worden, en waar nog verscheidene tafels bezet waren. Toen Bond zijn arm door die van Vesper stak, en haar binnenleidde, moest hij zich bedwingen, om niet wat geld bij de kassa te gaan lenen het maximum op de dichtstbijzijnde tafel in te zetten. Maar hij voelde wel, dat dit een goedkoop gebaar zou zijn om de burgers te overbluffen. Of hij won of verloor, het zou een klap in het gezicht zijn van het geluk.

De nachtclub was klein en donker en werd door kaarsen verlicht. De wanden waren bekleed met donkerrood satijn, en de stoelen en bankjes met bijpassend rood pluche. In de hoek speelde een trio, bestaande uit een piano, een elektrische gitaar en slagwerk, 'La Vie en Rose.'

Er hing een zwoele sfeer; Bond kreeg de indruk dat elk paartje elkaar onder de tafeltjes hartstochtelijk liefkoosde. Ze kregen een hoektafeltje bij de deur. Bond bestelde een fles Veuve Clicquot en roereieren met ham.

Ze luisterden een tijdje naar de muziek, en toen zei Bond tegen Vesper: 'Wat heerlijk om hier met jou te zitten, en te weten, dat het werk gedaan is. Het is een prachtig einde van de dag... de prijsuitreiking.'

Hij dacht dat ze wel tegen hem zou lachen. Maar ze zei

alleen maar: 'Ja dat vind ik ook.' Ze scheen aandachtig naar de muziek te luisteren. Haar ene elleboog steunde op de tafel, en haar kin rustte op haar hand, maar op de rug, en niet op de palm, en Bond merkte op, dat haar knokkels wit zagen, alsof ze haar vuist gebald had.
Tussen haar duim en de eerste twee vingers van haar rechterhand hield ze een sigaret, op de wijze waarop een tekenaar een potlood vasthoudt, en hoewel ze schijnbaar kalm zat te roken, tikte ze af en toe de as in een asbak als de sigaret helemaal geen as had.
Bond merkte deze kleinigheden omdat hij zo volkomen op haar geconcentreerd was, en omdat hij haar in zijn eigen gevoel van warmte en ontspannen sensualiteit wilde betrekken. Maar hij accepteerde haar reserve. Hij dacht dat die ontstond door haar verlangen, zichzelf tegen hem te beschermcn, of misschien was het wel haar reactie op zijn koelheid vroeger op de avond.
Hij had geduld. Hij dronk zijn champagne en praatte een beetje over de gebeurtenissen van de dag, over de persoonlijkheden van Mathis en Leiter en over de mogelijke consequenties voor Le Chiffre. Maar hij bleef voorzichtig, en sprak alleen maaı over die aspecten van de zaak waarover ze in Londen ingelicht zou zijn.
Ze antwoordde plichtsgetrouw. Ze vertelde, dat ze natuurlijk de twee lijfwachten opgemerkt hadden, maar er niets achter gezocht toen de man met de stok achter Bonds stoel was gaan staan. Ze hadden nooit kunnen geloven dat er iets in het Casino zelf ondernomen zou worden. Toen Bond en Leiter naar het hotel gingen, had zij Parijs opgebeld, en M's assistent het resultaat van het spel meegedeeld. Ze had voorzichtig moeten spreken, en de assistent had zonder commentaar afgebeld. Er was haar opgedragen dit te doen, hoe de uitslag ook

zou zijn. M had gevraagd hem elk uur van de dag of nacht hierover in te lichten.
Dat was alles wat ze zei. Ze dronk met kleine teugjes van haar champagne en keek Bond nauwelijks aan. Ze lachte niet. Bond voelde zich gedwarsboomd. Hij dronk veel champagne en bestelde een nieuwe fles. De roereieren kwamen en ze aten in stilte.
Om vier uur stond Bond op het punt om de rekening te vragen, toen de maître d'hôtel aan hun tafeltje verscheen en vroeg of Vesper miss Lynd was. Hij gaf haar een briefje dat ze haastig las.
'Oh, het is maar van Mathis,' zei ze. 'Hij vraagt, of ik naar de hal wil komen. Hij heeft een boodschap voor je. Misschien is hij wel niet in smoking, of zo. Ik ben zó terug. En dan kunnen we maar beter gaan.'
Ze lachte gedwongen. 'Ik ben vanavond geen prettig gezelschap. Het was alles bij elkaar een zenuwslopende dag. Het spijt me zo.'
Bond mompelde wat, stond op en schoof het tafeltje opzij. 'Ik zal betalen,' zei hij, en keek haar na toen ze naar de ingang liep.
Hij ging weer zitten en stak een sigaret op. Hij voelde zich in mineur. En hij besefte plotseling, dat hij moe was. De bedompte sfeer in het zaaltje benauwde hem, op dezelfde manier als het Casino in de vroege uren van de vorige morgen. Hij vroeg om de rekening en nam nog een slok champagne. Die smaakte bitter, zoals het eerste glas teveel altijd doet. Hij had graag even het vrolijke gezicht van Mathis gezien, en zijn nieuws gehoord; misschien had hij Bond wel geluk gewenst met zijn succes.
Plotseling vond hij dat briefje aan Vesper maar vreemd. Het lag totaal niet in de lijn van Mathis. Hij zou hun gevraagd hebben bij hem in de bar van het Casino te komen,

of hij zou bij hen in de nachtclub gekomen zijn, ongeacht zijn kleding. Ze zouden samen hebben gelachen, en Mathis zou vrolijk en opgewonden zijn geweest. Hij zou Bond veel te vertellen hebben gehad, meer dan Bond hem, over de arrestie van de Bulgaar, die waarschijnlijk nog wel meer gepraat zou hebben. En over de jacht op de man met de stok, en de gedragingen van Le Chiffre na zijn vertrek uit het Casino.
Bond haalde zijn schouders op. Hij betaalde haastig de rekening en wachtte niet op wisselgeld. Hij stond op en liep vlug het zaaltje uit, zonder de maître d'hôtel te groeten.
Hij liep haastig door de speelzaal en keek in de grote hal rond. Hij vloekte en versnelde zijn pas. Er waren maar een paar mensen in de vestiaire, maar geen Vesper en geen Mathis.
Hij rende nu. Hij bereikte de ingang en keek boven aan het bordes naar links en rechts, en naar een paar auto's die er nog stonden.
De portier kwam naar hem toe. 'Taxi, monsieur?'
Bond maakte een afwerend gebaar met zijn hand en liep het bordes af; zijn ogen doorzochten het duister en hij voelde de koude nachtlucht op zijn transpirerende slapen. Hij was halverwege toen hij een zwakke kreet hoorde, gevolgd door het dichtslaan van een deur. Met een hels lawaai schoot de Citroën uit de schaduw van het maanlicht; de voorwielen slipten over het losse grint van het voorplein.
Het achterste gedeelte schudde op en neer, alsof er op de achterbank een hevige strijd woedde.
Met hevig gegrom vloog de wagen door de brede inrijpoort. Een klein zwart voorwerp werd uit een open raampje gegooid en viel met een plof in een bloembed.

De banden maakten een gierend geluid toen de auto met een scherpe bocht de boulevard opreed; daarna klonk het daverende lawaai van de uitlaat van een Citroën in zijn tweede versnelling en van het overschakelen; ten slotte nam het geraas snel af toen de wagen zich tussen de winkels van de hoofdstraat naar de kustweg haastte.
Bond wist, dat hij Vespers avondtasje tussen de bloemen zou vinden. Hij rende ermee terug naar het helder verlichte bordes en haalde er haastig alles uit, terwijl de portier om hem heen draaide.
En daar was het verfrommelde briefje, tussen de gebruikelijke vrouwelijke attributen.

'Wil je een ogenblik in de hal komen? Ik heb nieuws voor je vriend.

René Mathis'.

15 *Zwarte haas en jachthond*

Het was de slechtste vervalsing die hij ooit gezien had. Bond sprong in zijn Bentley en zegende zijn impuls om de wagen die avond mee te nemen. Met de choke helemaal uitgetrokken, sloeg de motor aan, en het lawaai overstemde de aarzelende woorden van de portier, die opzij sprong toen de achterwielen gravel tegen zijn nauwe broekspijpen opwierpen.

Toen de auto buiten het hek naar links afsloeg, was Bond jaloers op de voorwielaandrijving en het lage chassis van de Citroën. Hij schakelde snel over en begon de achtervolging; hij luisterde met genoegen naar de echo van de uitlaat toen hij met grote snelheid door de korte hoofdstraat van het stadje reed.

Al spoedig was hij op de weg die langs de kust liep, een brede hoofdweg door de duinen; hij wist van zijn ochtendrit dat het wegdek prima in orde was, en de bochten allemaal van katteogen voorzien waren.

Hij voerde de snelheid tot negentig mijl per uur op; zijn grote Marchal koplampen wierpen door het duister van de nacht een witte tunnel van licht van bijna een halve mijl lang op de weg.

Hij wist, dat de Citroën deze weg had gevolgd. Hij had de wagen buiten de stad nog gehoord, en er hing in de bochten nog wat stof. Hij hoopte, dat hij gauw de achterlichten zou zien. De nacht was stil en helder. Op zee zou er wel een lichte zomermist hangen, want hij hoorde af en toe de misthoorn langs de kust loeien.

Terwijl hij hoe langer hoe sneller ging rijden, vervloekte hij én Vesper én M, die haar dit werk opgedragen had. Dit was nu juist waar hij bang voor geweest was. Die vrolijke vrouwtjes die dachten dat ze het werk van een man konden doen! Waarom konden ze verdomme niet thuis blijven, bij hun potten en pannen, en zich met hun kleren en hun roddelpraatjes bezighouden, en het werk aan de mannen overlaten? En dat hem dit nu juist moest gebeuren, nu de zaak tot zo'n goed einde was gebracht! En dat Vesper er door zo'n oude truc ingelopen was, en zich had laten ontvoeren... en waarschijnlijk als gijzelaar werd vastgehouden... als de een of andere idiote heldin uit een beeldroman! De stomme meid! Bond kookte van woede.

Natuurlijk, het was nogal duidelijk. Het meisje tegen zijn cheque van veertigmiljoen. Maar hij deed niet mee! Hij dacht er niet aan. Ze was nu eenmaal bij de Dienst, en ze wist, wat ze kon verwachten. Hij zou het niet eens aan M vragen. Deze zaak was belangrijker dan zij was. Het was té erg. Het was een lief kind, maar hij trapte er niet in. Maar dan ook beslist niet. Hij zou proberen de Citroën in te halen en ze neer te schieten, maar als zij daarbij geraakt werd, dan kon hij daar niets aan doen. Dan zou hij zijn plicht gedaan hebben... haar bevrijd hebben vóórdat ze haar naar de een af andere schuilplaats gebracht hadden... maar als hij ze niet te pakken kreeg, zou hij naar zijn hotel terug gaan, gaan slapen en er niet meer aan denken. Later zou hij Mathis vragen wat er met haar gebeurd was, en hem het briefje laten zien. Als Le Chiffre het geld van Bond eiste in ruil voor het meisje, dan zou Bond niet reageren, en het aan niemand vertellen. Ze moest maar zien, hoe ze eruit kwam. Als de portier ging vertellen wat hij gezien had, zou Bond zeggen, dat hij dronken was geweest, en ruzie met het kind had gemaakt. De gedachten tolden in zijn hoofd heen en weer terwijl hij de grote wagen over de kustweg joeg; de bochten nam hij automatisch en hij lette op karren en wielrijders die op weg naar Royale waren. Op de rechte stukken prikten de sporen van de Amherst Villiers compressor in de vijfentwintig paarden van de Bentley, en dan klonk er een schrille kreet van pijn van de motor in de nacht. De snelheidsmeter wees honderdtwintig mijl per uur aan.

Hij wist, dat hij op de Citroën won. Zwaarbeladen als die was, zou hij niet veel meer dan tachtig kunnen rijden, zelfs op deze weg. Impulsief minderde hij vaart tot zeventig, stak zijn mistlampen aan en dimde de beide Marchals. En toen zag hij, een paar mijl verder op de weg, de achterlichten van een andere wagen.

Hij pakte uit een verborgen holster onder zijn dashboard een legerpistool .45 met lange loop, en legde dit naast zich op de bank. Als het wegdek goed bleef had hij hoop, dat hij hiermee hun banden of hun benzinetank op een afstand van een kleine honderd meter zou kunnen raken.

Toen schakelde hij zijn grote licht weer in en drukte het gaspedaal in. Hij was volkomen rustig. Het probleem van Vespers leven was geen probleem meer. In het blauwige schijnsel van het dashboard was zijn gezicht grimmig, maar ontspannen.

In de Citroën zaten drie mannen en het meisje.

Le Chiffre reed; zijn zware lichaam was over het stuur gebogen en zijn handen lagen losjes op het wiel. Naast hem zat de kleine dikke man, de man van de stok. In zijn linkerhand hield hij een zware handle vast, die ge-

bruikt zou kunnen worden om de bank te verschuiven.
Op de achterbank zat de lange, magere lijfwacht. Hij leunde gemakkelijk achterover en staarde naar het dak; hij was blijkbaar niet geïnteresseerd in de grote snelheid van de wagen. Zijn rechterhand streelde over Vespers blote linkerdij.
Behalve haar benen, die tot de heupen bloot waren, leek Vesper op een pakje. Haar lange, zwartfluwelen rok was over haar armen en haar hoofd getrokken en met een stuk touw vastgebonden. Op de plaats van haar gezicht was er een gat in het fluweel getrokken, zodat ze adem kon halen. Verder was ze niet gebonden en ze lag stil.
Le Chiffre concentreerde zich voor een deel op de weg die voor hem lag en voor een deel op de aanstormende lichten van Bond in het spiegeltje. Hij scheen er zich niets van aan te trekken toen de hond niet meer dan een mijl van de haas verwijderd was, en hij verminderde zijn snelheid zelfs tot zestig mijl. Bij de volgende bocht ging hij zelfs nog langzamer rijden. Een paar honderd meter verder gaf een Michelinpaal aan, dat er een zijweg was.
'Attention,' zei hij scherp tegen de man naast hem.
De hand van de man greep de handle stevig vast. Toen verminderde Le Chiffre zijn snelheid tot dertig. Hij zag de grote koplampen van Bond in de bocht achter zich. Hij nam een besluit.
'Allez.'
De man naast hem trok de handle met een ruk omhoog. De kofferruimte achter in de wagen sperde open als de bek van een walvis. Er klonk een gerammel op de weg, en dan een ritmisch geratel, alsof de wagen een ketting uitgooide.

'Coupez.'
De man liet de handle weer zakken en het gerinkel hield op. Le Chiffre keek in zijn spiegeltje. Bonds auto was juist in de bocht. Le Chiffre gooide zijn stuur om en reed de wagen de smalle zijweg in, terwijl hij tegelijkertijd zijn lichten doofde.
Hij trapte op de rem, de drie mannen klommen uit de auto en liepen onder dekking van een lage heg naar de hoofdweg, die nu helder verlicht werd door de lampen van de Bentley. Ze hadden alle drie een revolver, en de magere man had in zijn rechterhand iets wat op een groot zwart ei leek.
De Bentley scheurde als een exprestrein op hen af.

16 *Kippevel*

Terwijl Bond door de bocht raasde, maakte hij zijn plan-de-campagne op voor het moment, dat de afstand tussen de twee auto's nog kleiner geworden zou zijn. Hij verwachtte, dat de vijand een zijweg zou inslaan als hij de kans kreeg. Toen hij dus de bocht om was en geen lichten zag, was zijn normale reactie om minder gas te geven en, toen hij de Michelinpaal zag, af te remmen. Zijn snelheid was ongeveer zestig mijl toen hij een donkere plek rechts van de weg zag. Hij vermoedde, dat dit door de schaduw van een boom veroorzaakt werd. En toen kon hij niets meer beginnen. Hij zag plotseling een tapijt van glinsterende, stalen tanden vlak onder zijn rechterspatbord. Toen zat hij er bovenop.

Automatisch drukte Bond op zijn voetrem en haalde zijn handrem aan; hij spande al zijn spieren tegen het wiel om de onvermijdelijke schuiver naar links tegen te gaan, maar hij had de wagen maar een onderdeel van een seconde onder controle. Terwijl het rubber van zijn banden afgerukt werd, draaide de zware wagen als een tol over de weg, raakte de linkerberm met een slag en wierp Bond op de vloer, richtte zich toen op, met draaiende voorwielen; de lichten schenen omhoog in de lucht. De Bentley rustte een seconde lang op de benzinetank, toen viel hij langzaam achterover en er klonk gerinkel van brekend glas en gekraak van versplinterend hout. Een van de voorwielen bleef nog even doordraaien en toen werd alles stil.

Le Chiffre en zijn twee mannen hoefden slechts een paar meter vanuit hun bosje te lopen.
'Berg je wapens op en haal hem eruit,' beval Le Chiffre kortaf. 'Ik zal jullie onder dekking houden. Maar wees voorzichtig met hem. Ik wil geen lijk. En schiet een beetje op, want het wordt al licht.'
De twee mannen lieten zich op hun knieën zakken. Een van hen pakte een groot mes en sneed een stuk van de linnen kap weg. Toen pakte hij Bond bij de schouders. Deze was bewusteloos en gaf niet mee. De andere wrong zich tussen de omgedraaide auto en de berm van de weg, en werkte zich door een van de kapotte ruiten. Hij bevrijdde Bonds benen, die tussen het stuurwiel en het linnen dak beklemd zaten. Toen trokken ze hem door het gat van de kap heen.
Ze waren kletsnat en met vuil en olie besmeurd toen ze hem op de weg legden. De magere man voelde zijn hart en sloeg hem toen links en rechts om zijn oren. Bond kreunde en bewoog een hand. De magere sloeg nog een keer.
'Dat is genoeg,' zei Le Chiffre. Bind zijn armen vast en leg hem in de auto. Hier,' hij wierp de man een rol staaldraad toe. 'Maak zijn zakken leeg en geef mij zijn revolver. Misschien heeft hij nog wel andere wapens, maar die vinden we later wel.'
Hij stak de voorwerpen die de magere man hem gaf tezamen met Bonds Beretta in zijn grote zakken. Hij liep terug naar zijn wagen. Op zijn gezicht viel niets te lezen, noch vreugde, noch opwinding.
Door het snijden van het scherpe staal in zijn polsen kwam Bond tot bewustzijn. Alles deed hem pijn; hij had het gevoel, alsof hij een flink pak slaag had gehad, maar toen hij rechtop gesleurd werd en naar de smalle zijweg,

waar de motor van de Citroën al liep, werd geduwd, merkte hij, dat hij niets gebroken had. Maar hij voelde zich niet in de stemming om wanhopige ontsnappingspogingen te wagen. en liet zich willoos achter in de auto stoppen. Hij was volkomen ontmoedigd en totaal verzwakt, zowel lichamelijk als geestelijk. Hij had in de laatste vierentwintig uur té veel moeten meemaken, en dit was de druppel die de emmer deed overlopen. En nu zouden er geen wonderen gebeuren. Niemand wist waar hij was, en niemand zou hem vóór de middag missen. Het wrak van zijn auto zou wel spoedig gevonden worden, maar het zou uren duren eer men de eigenaar opgespoord had. En Vesper. Hij keek opzij, langs de magere man die met gesloten ogen achterover leunde. Zijn eerste reactie was een gevoel van verachting. Stom kind, om zich als een kip te laten plukken, met die jurk over haar hoofd, net alsof het een spelletje was. Maar toen kreeg hij toch medelijden met haar. Haar blote benen zagen er zo kinderlijk en weerloos uit.

'Vesper,' zei hij zachtjes. Het bundeltje in de hoek gaf geen antwoord, en Bond schrok, maar toen bewoog ze zich even.

Tegelijkertijd gaf de magere man hem met de rug van zijn hand een harde klap tegen zijn borst.

'Stil.'

Bond sloeg dubbel van de pijn, en ook om zich tegen een klap te beschermen, maar toen kreeg hij een klap achter in zijn nek, waardoor hij weer rechtop schoot. De magere had hem een vakkundige slag gegeven. Er was iets dodelijks aan zijn accuratesse en zijn gebrek aan inspanning. Hij lag nu weer met gesloten ogen achterover. Hij was een man die je schrik aanjoeg, een slecht mens. Bond hoopte, dat hij de kans zou krijgen hem te doden. Plotseling werd de bagageruimte opengemaakt en hoorde hij gerammel. Hij vermoedde, dat ze op de derde man hadden gewacht, die de mat met stalen tanden weggenomen had. Hij dacht dat deze wel zou lijken op de versperringen die de Résistance tegen de Duitse stafauto's gebruikt had. Weer had hij bewondering voor de efficiency van deze mensen. Had M hen onderschat? Hij moest het verlangen om Londen de schuld te geven, onderdrukken. Hij had het zelf moeten weten; hij had door allerlei kleinigheden gewaarschuwd moeten zijn, en veel meer voorzorgsmaatregelen moeten nemen. Hij rilde bij de gedachte aan zijn champagne drinken in de Roi Galant, terwijl de vijand een tegenaanval voorbereidde. Hij vervloekte zichzelf dat hij ervan overtuigd was geweest, dat de strijd gewonnen en de vijand op de vlucht was.

Le Chiffre had nog geen woord gezegd. Toen de bagageruimte gesloten was ging de derde man, die Bond dadelijk herkende, naast hem zitten en toen reed Le Chiffre haastig achteruit, de grote weg op. Toen trok hij snel op en reed spoedig zeventig langs de kust.

Het werd licht... Bond dacht, dat het vijf uur zou zijn... en hij wist dat het nog maar een paar mijl was naar de villa van Le Chiffre. Hij had niet verwacht, dat ze Vesper daarheen zouden brengen. Maar nu begreep hij, dat Vesper alleen maar het spierinkje was om de kabeljauw te vangen, en werd alles hem duidelijk.

En het zag er niet zo mooi uit. Voor het eerst sinds zijn gevangenschap kreeg Bond kippevel.

Tien minuten later zwenkte de Citroën naar links en reed over een smalle zijweg, die gedeeltelijk met gras begroeid was, tussen een paar vervallen pilaren door naar een binnenplaats, die door een hoge muur omringd was.

Ze stopten voor een witte deur met afgebladderde verf. Boven een verroeste belknop naast de deur stond in kleine metalen letters op een houten bordje: 'Les Noctambules', en daaronder: 'Sonnez s.v.p...'
Voor zover Bond kon zien, was de villa typisch voor de Franse kust. Hij kon zich zo voorstellen hoe voor de zomerverhuur door een werkster van het woningbureau in Royale de dode bromvliegen haastig weggeveegd, en de muffe kamers gelucht zouden worden. Om de vijf jaar zouden de kamers en de buitengevel gewit worden, en voor enkele weken zou de villa een vrolijke aanblik bieden. Dan zouden de winterregens komen, en de opgesloten vliegen, en dan zou de villa weer een verwaarloosde indruk maken.
Maar, dacht Bond, het huis zou deze morgen volkomen aan de verwachtingen van Le Chiffre voldoen. Als zijn veronderstellingen tenminste juist waren. Sinds hij gevangen genomen was, waren ze geen ander huis gepasseerd en van wat hij zich de vorige dag herinnerde, wist hij, dat er pas verscheidene mijlen naar het zuiden een enkele eenzame boerderij lag. De magere man gaf hem een harde por in de ribben en Bond stapte uit. Hij wist, dat Le Chiffre met hem kon doen wat hij wilde, en in geen uren gestoord zou worden. Weer kreeg hij kipppevel.
Le Chiffre maakte de deur met een sleutel open en ging naar binnen. Vesper, die er in het kille morgenlicht indecent uitzag, werd vloekend door de 'Corsicaan', zoals Bond hem noemde, naar binnen geduwd, en Bond volgde hem zonder de magere man de kans te geven hem te dwingen.
Le Chiffre stond in de deuropening van een kamer rechts in de gang. Hij wenkte Bond met een kromme vinger zonder een woord te zeggen.

Vesper werd achter in het huis gebracht. Bond nam plotseling een besluit. Met een snelle, achterwaarste schop tegen de schenen van de magere man, die het uitschreeuwde van de pijn rende hij achter haar aan. Daar hij alleen over zijn voeten beschikte, had hij geen ander plan dan zoveel mogelijk de beide moordenaars dwars te zitten, en een paar woorden met het meisje te wisselen. Er was ook geen andere mogelijkheid. Hij wilde haar alleen maar moed inspreken.

Toen de Corsicaan zich omdraaide, was Bond vlak bij hem; hij deed een uitval met zijn rechterschoen naar de lies van de man.

De Corsicaan wierp zich bliksemsnel tegen de muur van de gang, en toen Bonds voet langs zijn heup schoot, stak hij zijn linkerhand uit, greep Bonds schoen stevig vast en draaide de voet om.

Bond kon zijn evenwicht niet bewaren en smakte tegen de grond. Een ogenblik bleef hij liggen, volkomen zonder adem. Toen kwam de andere man erbij en trok hem bij zijn boord tegen de muur op. Hij had een revolver in zijn hand en keek Bond onderzoekend aan. Toen bukte hij zich en sloeg er Bond hard mee tegen de schenen. Bond kermde, en zakte door zijn knieën.

'Als je nogeens zoiets probeert, gaan je tanden eraan,' zei de magere man in slecht Frans.

Er sloeg een deur dicht. Vesper en de Corsicaan waren verdwenen. Bond keek naar rechts. Le Chiffre was een paar passen de gang in gekomen. Hij stak zijn vinger op, en wenkte weer naar Bond. En toen sprak hij voor het eerst.

'Kom, m'n beste jongen. We verknoeien onze tijd.'

Hij sprak Engels zonder enig accent. Zijn stem klonk laag, zacht en rustig. Hij vertoonde geen spoor van enige

emotie. Hij had een dokter kunnen zijn, die de volgende patiënt uit de wachtkamer riep, een hysterische patiënt die het de verpleegsters moeilijk had gemaakt.
Bond kreeg een gevoel van onmacht. Alleen een expert in jiu-jitsu had hem zo kunnen behandelen als de Corsicaan gedaan had. En de kille methode waarop de ander hem met gelijke munt betaald had, was zelfs meesterlijk.
Bond liep volgzaam door de gang. Hij had er alleen maar een paar blauwe plekken bij gekregen.
Terwijl hij voor de magere man uit de drempel overschreed, wist hij, dat hij volkomen in hun macht was.

17 *'M'n beste jongen'*

Het was een groot kaal vertrek, dat schaars gemeubileerd was in moderne, goedkope Franse stijl. Het was moeilijk te zeggen of het vertrek als woon- of als eetkamer bedoeld was, want een vodderig buffet met een spiegel, een oranje gebarsten fruitschaal en twee geverfde houten kandelaars nam het gootste deel van de wand tegenover de deur in beslag, maar aan de ander kant van de kamer stond een verschoten, roze sofa.
Er stond geen tafel onder de lamp met de albasten schaal; er lag alleen een klein, vierkant vloerkleed met een wild patroon in contrasterende kleuren.
Bij het raam stond een grote, hoge gebeeldhouwde eiken stoel, met een roodfluwelen bekleding, die volkomen uit de toon viel, een lage tafel met een lege waterkan en twee glazen, en een kleine armstoel met een ronde, rieten zitting zonder kussen.
Halfgesloten jaloezieën voor het raam benamen het uitzicht, maar er vielen enkele zonnestralen over de paar meubelstukken, over een deel van het helgekleurde behang en de gebeitste vloer.
Le Chiffre wees naar de rieten stoel.
'Die is wel geschikt,' zei hij tegen de magere man. 'Maak hem vlug klaar. Als hij zich verzet, dan moet je hem maar een beetje beschadigen.'
Hij keek Bond aan. Zijn gezicht was nog steeds zonder enige uitdrukking en zijn ronde ogen keken volkomen ongeïnteresseerd. 'Trek je kleren uit. Voor elke po-

ging tot verzet zal Basil een van je vingers breken. We zijn volkomen in ernst, en je gezondheid speelt voor ons geen rol. Of je in leven zult blijven, zal van ons gesprek afhangen.'
Hij gaf Basil een teken en verliet de kamer.
Het eerste gebaar van de magere man was merkwaardig. Hij maakte een knipmes open, dat hij voor het linnen dak van Bonds auto had gebruikt, pakte de kleine armstoel en sneed vlug de zitting uit.
Toen kwam hij bij Bond terug, en stak het open mes als een vulpen in zijn borstzak. Hij draaide Bond naar het licht en maakte het draad om zijn polsen los. Toen deed hij een paar passen achteruit en pakte het mes weer beet.
'Vite.'
Bond wreef over zijn gezwollen polsen en vroeg zich af, hoeveel tijd hij kon winnen. Maar dat duurde maar een ogenblik. De man kwam vlug naar voren, greep de kraag van zijn smokingjasje beet, trok dit naar beneden en wrong Bonds armen op zijn rug. Bond maakte het traditionele gebaar bij die oude politietruc en zakte door een knie, maar terwijl hij zich liet zakken deed de man hetzelfde; tegelijkertijd liet hij het mes langs Bonds rug glijden. En toen klonk er een scheurend geluid toen het mes door de stof sneed; Bonds armen waren plotseling vrij toen de twee helften van zijn jasje naar voren vielen. Hij vloekte en stond op. De magere man was weer achteruit gestapt, met het mes klaar voor gebruik in de hand. Bond liet de twee helften van zijn jasje op de vloer vallen. 'Allez,' zei de magere man met een spoor van ongeduld in zijn stem.
Bond keek hem aan en begon rustig zijn overhemd uit te trekken.

Le Chiffre kwam rustig de kamer binnen. Hij had een koffiepot in zijn handen, die hij op het kleine tafeltje bij het raam zette. Daarnaast legde hij twee andere huishoudelijke voorwerpen, een grote matteklopper en een voorsnijmes. Hij ging in de grote stoel zitten en schonk koffie in een van de glazen. Met één voet trok hij de kleine armstoel naar zich toe, waarvan de zitting alleen maar uit een houten frame bestond; de stoel stond nu vlak tegenover hem. Bond stond spiernaakt midden in de kamer; zijn lichaam zat vol blauwe plekken, en zijn gezicht zag grauw van uitputting; hij wist, wat hem te wachten stond.

'Ga daar in zitten,' Le Chiffre wees op de stoel voor hem. Bond liep naar de stoel en ging zitten.

De magere man haalde wat draad te voorschijn. Hiermee bond hij Bonds polsen aan de armleuningen vast, en zijn enkels aan de voorpoten. Hij maakte een dubbele draad over zijn borst onder zijn oksels door, aan de rugleuning vast. Hij nam geen risico met de knopen en liet geen speling in de verbindingen. Het draad sneed in Bonds vlees. De poten van de stoel stonden ver uit elkaar, en Bond kon hem niet eens bewegen.

Hij was een volslagen gevangene, naakt en weerloos. Zijn billen en het onderste deel van zijn rug staken door het gat in de stoel heen.

Le Chiffre knikte tegen de man; deze liep rustig de kamer uit en sloot de deur.

Er lag een pakje Gauloises op tafel en een aansteker. Le Chiffre stak een sigaret op en nam een slok koffie. Toen pakte hij de rieten matteklopper, liet het handvat op zijn knie rusten, en legde de klopper vlak onder Bonds stoel.

Hij keek Bond vriendelijk aan. Toen gaf hij plotseling

een ruk aan het handvat. Het resultaat was verbluffend.
Bonds hele lichaam trok zich in een kramp samen. Zijn gezicht vertrok en zijn hoofd viel met een ruk achterover. Het bloed trok uit zijn vingers en zijn tenen. Toen zakte hij in elkaar; het zweet brak hem aan alle kanten uit en hij kreunde smartelijk.
Le Chiffre wachtte rustig af tot zijn ogen opengingen.
'Begrijp je het nu, m'n beste jongen?' Hij lachte zachtjes.
'Is de positie nu duidelijk?'
Een zweetdruppel viel van Bonds kin op zijn naakte borst.
'Laten we nu ter zake komen en eens zien, hoe gauw we aan deze narigheid, waarin je jezelf gebracht hebt, een einde kunnen maken.'
Hij trok vrolijk aan zijn sigaret en gaf een waarschuwend klopje met zijn vreselijk instrument op de vloer onder Bonds stoel.
'M'n beste jongen,' Le Chiffre sprak als een vader, 'het indianenspelletje is uit, helemaal uit. Je bent per ongeluk in een spel van grote mensen terecht gekomen, en je hebt er nu niet zulke prettige ervaringen mee opgedaan. Jij bent nog veel te klein om spelletjes met grote mensen te spelen. En het was heel dom van je kinderjuffrouw in Londen, om je met je schopje en je emmertje hier alleen naar toe te sturen. Inderdaad erg dom, en helemaal niet zo leuk voor jou.'
'Maar nu is het uit met de grapjes, m'n beste jongen, hoewel ik er zeker van ben dat je het wel aardig zoudt vinden, om dit verhaaltje verder aan te horen.'
Hij liet zijn spottende stem varen en keek Bond scherp en kwaadaardig aan.
'Waar is het geld?'
Bonds bloeddoorlopen ogen keken hem zinloos aan.

Weer de beweging van de pols, en weer de kramp door Bonds lichaam.
Le Chiffre wachtte, totdat zijn gekwelde hart tot rust kwam, en Bond de ogen weer opende.
'Ik zal misschien wat duidelijker moeten zijn,' zei hij. 'Ik ben van plan om de gevoelige delen van je lichaam te blijven kastijden totdat je me antwoord geeft. Ik ben zonder genade, en ik zal het niet opgeven. Er is geen sterveling die je zal komen redden en je kunt onmogelijk ontsnappen. Dit is geen romantisch avontuurverhaal waarin de schurk zijn verdiende loon krijgt, de held lauweren oogst en met het knappe meisje trouwt. De dingen gebeuren jammer genoeg in het werkelijke leven niet. Als je obstinaat blijft zul je tot het uiterste gekweld worden, en dan zullen we het meisje binnenbrengen en we zullen haar voor jou neerzetten. En als dat nog niet genoeg is, dan zullen jullie onder veel pijn gedood worden, en ik zal jullie achterlaten en naar een comfortabel huis vluchten, dat op me staat te wachten. En dan zal ik een goede baan zoeken en in de boezem van mijn familie, die ik zonder twijfel zal stichten, een gezegende ouderdom bereiken... Je ziet dus, m'n beste jongen, dat ik niets te verliezen heb. En als jij me het geld geeft, des te beter. En als je het niet doet, dan zal ik mijn schouders ophalen en gaan.
Hij zweeg, en zijn pols maakte weer een kleine beweging. Bond kromp ineen toen de matteklopper hem net even aanraakte.
'Maar jij, m'n beste jongen, kunt alleen maar hopen, dat ik jou meer pijn en je leven zal besparen. En dat is je enige hoop. Absoluut de enige.'
'Wel?'
Bond sloot zijn ogen, en wachtte op de pijn. Hij wist, dat

het begin van een marteling het ergste is. Er bestaat een parabool van pijn. Eerst wordt die steeds heviger, maar op een gegeven moment worden de zenuwen afgestompt en reageren minder, totdat eerst bewusteloosheid en dan de dood intreedt. Hij kon alleen maar bidden voor het ergste punt: bidden, dat zijn geest het zo lang uit zou houden en dan onvermijdelijk het einde afwachten. Collega's, die de martelingen door Duitsers en Japanners hadden overleefd, hadden hem verteld, dat er tegen het einde een heerlijk gevoel van warmte en seksuele ontspanning optrad, waar de pijn tot vreugde werd en de haat en de angst voor de beulen in masochistische liefde veranderden. Het was de grootste beproeving voor de wilskracht, had hij geleerd, om dit niet te tonen. Onmiddellijk nadat men dit vermoedde, zouden ze je doden, en zichzelf verdere moeite besparen, of je zover bij laten komen dat je zenuwen weer de stand aan de andere kant van de parabool hadden bereikt. En dan begonnen ze weer opnieuw.

Hij deed heel even zijn ogen open.
Le Chiffre had hierop zitten wachten, en als een ratelslang sprong het rieten instrument van de vloer. Het sloeg weer toe, en nog eens, zodat Bond schreeuwde en zijn lichaam als een marionet in de stoel op en neer sprong.
Le Chiffre stopte; hij merkte, dat Bond minder ging reageren. Hij dronk zijn koffie, en fronste zijn wenkbrauwen als een chirurg, die een cardiogram bekijkt tijdens een moeilijke operatie.
Toen Bond met zijn ogen knipperde en ze langzaam opende, sprak hij hem weer toe, maar nu op enigszins ongeduldige toon.

'We weten, dat het geld ergens in je kamer is,' zei hij. 'Je trok een cheque voor veertigmiljoen francs, en ik weet dat je terug naar het hotel bent gegaan, om die te verstoppen.'
Een ogenblik lang vroeg Bond zich af, hoe hij daar zo zeker van kon zijn.
'Direct nadat je naar de nachtclub ging,' vervolgde Le Chiffre, 'is je kamer door vier van mijn mensen doorzocht.'
De Muntzes zouden wel geholpen hebben, dacht Bond. 'We vonden zo het een en ander in kinderachtige schuilhoekjes. In de vlotter van de w.c. zat een interessant codeboekje, en achter tegen een lade geplakt vonden we nog meer papieren van je. De meubels zijn volkomen uit elkaar genomen, en je kleren, de gordijnen en het beddegoed zijn stuk gesneden. Elke centimeter van je kamer is doorzocht en alle leidingen zijn verwijderd. Het is heel onplezierig voor je dat we de cheque niet gevonden hebben. Hadden we dat wel, dan lag je nu lekker in bed, misschien wel met de mooie miss Lynd.' Zijn vuist bewoog zich weer.
Door het rode waas van pijn dacht Bond aan Vesper. Hij kon zich voorstellen wat je van de twee lijfwachten kon verwachten. Zij zouden wel zoveel mogelijk van haar profiteren voordat Le Chiffre haar liet roepen. Hij dacht aan de natte, dikke lippen van de Corsicaan en de wreedheid van de magere vent. Arm kind, dat ze hierbij betrokken moest worden. Arm diertje.
Le Chiffre sprak weer.
'Martelen is vreselijk,' zei hij, terwijl hij een nieuwe sigaret opstak, 'maar voor de beul is het een eenvoudige zaak, speciaal als de patiënt,' hij lachte bij dit woord, 'een man is. Zie je m'n beste Bond, bij een man is het

onnodig om verfijnde kwellingen te bedenken. Met dit eenvoudige voorwerp, of met welk ander dan ook, kan men bij een man net zoveel pijn veroorzaken als mogelijk of noodzakelijk is. En geloof niets van wat je allemaal in oorlogsboeken leest. Dit is het allerergste. Het is niet direct de pijn op zichzelf, maar het feit dat je mannelijkheid langzaam aan vernietigd wordt, en dat je ten slotte als je niet toegeeft, niet langer een man zult zijn.

En dat, m'n beste jongen, is een verschrikkelijke gedachte... zowel een kwelling voor het lichaam als voor de geest, en er komt een moment, dat je me zult smeken je te doden. En dat komt onvermijdelijk, tenzij je me zegt waar je het geld verborgen hebt.'

Hij schonk zich weer een glas koffie in en dronk dat op; zijn mondhoeken waren bruin.

Bonds lippen trilden. Hij probeerde iets te zeggen. Ten slotte bracht hij er stamelend uit: 'drinken'; zijn opgezette tong kwam uit zijn mond en likte zijn uitgedroogde lippen.

'Och maar natuurlijk, m'n beste jongen, hoe dom van mij.'

Le Chiffre schonk wat koffie in het andere glas. Om Bonds stoel lag een kring van zweetdruppels.

'We moeten je tong in goede conditie houden.'

Hij legde het handvat van de matteklopper tussen zijn dikke benen op de vloer en stond op. Hij ging achter Bond staan, pakte hem bij zijn kletsnatte haren en trok zijn hoofd met een ruk acherover. Hij goot de koffie met kleine teugjes in Bonds keel, zodat hij niet kon stikken. Toen liet hij zijn hoofd los, liep naar zijn stoel terug en pakte de matteklopper weer op.

Bond keek hem aan en sprak met dikke tong.

'Aan het geld heb je niets. De politie zal je achterhalen.'
Hij was volkomen uitgeput, en zijn hoofd zonk op zijn borst. Hij overdreef zijn lichamelijke uitputting wel enigszins: hij probeerde alles om tijd te winnen, en alles om aan de volgende pijnaanval te ontkomen.
'Maar m'n beste jongen, dat had ik je nog niet verteld!' Le Chiffre lachte gemeen. 'Na ons spelletje in het Casino hebben we elkaar nog ontmoet, en je was zo sportief dat je het goed vond, mij nog één kans te geven. Het was een prachtige geste. Echt iets voor een Engelse gentleman. Jammer genoeg verloor je, en dat bracht je zo van streek, dat je besloot Royale onmiddellijk met onbekende bestemming te verlaten. Je bent nu eenmaal een gentleman, en daarom gaf je mij een schriftelijke verklaring, waarin je de omstandigheden beschreef, zodat ik geen moeilijkheden zou krijgen als ik de cheque ging incasseren. Je ziet, m'n beste jongen, dat we overal aan gedacht hebben, en dat je je over mij geen zorgen hoeft te maken.' Hij lachte vuil.
'Zullen we nu maar verder gaan? Ik heb alle tijd, en om de waarheid te zeggen, ben ik er nieuwsgierig naar, hoe lang een man deze... eh... bijzondere behandeling kan ondergaan.' Hij sloeg met de matteklopper op de vloer.
'Dat was het dus,' dacht Bond, terwijl zijn laatste restje hoop verdween. De 'onbekende bestemming' zou onder de grond of onder de zeespiegel zijn, of misschien wel onder de verongelukte Bentley. Maar als hij nu toch moest sterven, dan maar op een moeilijke manier. Hij koesterde geen hoop dat Mathis of Leiter op tijd zouden komen, maar er was tenminste een kans dat ze Le Chiffre nog te pakken konden krijgen. Het zou nu wel bijna zeven uur zijn. De auto was misschien al gevonden, en hoe langer Le Chiffre de marteling liet duren, des te gro-

ter was de kans dat hij gewroken zou worden.
Bond hief zijn hoofd op en keek Le Chiffre aan.
Het wit van zijn ogen was nu met bloed doorlopen. Het leek alsof je naar twee in bloed gedrenkte krenten keek. De rest van het brede gezicht had een geelachtige kleur, behalve waar de zwarte baardstoppels de vochtige huid bedekten. De bruine koffievlekken in zijn mondhoeken gaven aan zijn gezicht een valse glimlach, en zijn hele gelaat werd gestreept door het licht dat door de jaloezieën naar binnen viel.
'Nee,' zei hij zachtjes,... 'jij...'
Le Chiffre gromde, en ging weer met hernieuwde woede aan de gang. Af en toe gromde hij als een wild beest.
Na tien minuten was Bond goddank bewusteloos.
En toen hield Le Chiffre op. Hij veegde met zijn vrije hand het zweet van zijn gezicht. Toen keek hij op zijn horloge en nam een besluit.
Hij stond op en ging achter het bewegingloze lichaam staan. Bonds gezicht en bovenlichaam waren spierwit. Boven zijn hart bewoog de huid zwakjes; verder was er geen teken van leven.
Le Chiffre pakte Bond bij zijn oren beet en boog ze hardhandig om. Toen leunde hij naar voren en sloeg hem hard op zijn wangen. Bonds hoofd rolde bij elke slag mee. Zijn ademhaling werd dieper. Een dierlijke kreet klonk uit zijn openstaande mond.
Le Chiffre nam een glas koffie, goot hiervan wat in Bonds mond en gooide de rest in zijn gezicht. Bond opende langzaam zijn ogen.
Le Chiffre ging weer zitten en wachtte. Hij stak een sigaret op en keek naar de plas bloed die onder het onbeweeglijke lichaam op de vloer lag.
Bond kreunde weer erbarmelijk. Het was een onmense-

lijk geluid. Zijn ogen gingen weer open en hij keek zijn beul wazig aan.
Toen sprak Le Chiffre.
'Dat was het, Bond. We zullen er nu een eind aan maken. Begrijp je me? Je niet doden, maar er een eind aan maken. En dan zullen we het meisje binnenroepen en eens zien, of we uit jullie resten nog iets los kunnen krijgen.'
Hij stak zijn arm naar de tafel uit.
'Zeg het maar goeiedag, Bond.'

18 *Het scherpe gezicht*

Het was een merkwaardige sensatie om de derde stem te horen. Tot nu toe had er alleen een dialoog tijdens de marteling plaatsgevonden. Bonds afgestompte zintuigen konden het nauwelijks bevatten. Toen kwam hij weer enigszins tot bewustzijn. Hij kon weer zien en horen. Hij voelde de doodse stilte na dat ene woord uit de deuropening. Hij zag het hoofd van Le Chiffre langzaam omhoog komen, en zijn uitdrukking veranderde van verbazing in vrees.
'Stop,' had de stem kalm gezegd.
Bond hoorde zachte voetstappen achter zijn stoel.
'Laat het vallen,' zei de stem.
Bond zag, dat Le Chiffre's hand zich langzaam opende: het mes viel kletterend op de vloer. Hij probeerde wanhopig op Le Chiffre's gezicht te lezen, wat er achter hem gebeurde, maar hij zag alleen ongeloof en angst. Le Chiffre's mond vertrok, maar hij bracht alleen een hoog piepgeluid uit. Zijn dikke wangen trilden, terwijl hij nog probeerde genoeg speeksel in zijn mond te vormen om iets te zeggen, iets te vragen. De ene maakte een beweging naar zijn zak, maar viel dadelijk weer terug. Zijn ronde, starende ogen hadden zich een moment gesloten, en Bond vermoedde dat er een revolver op hem gericht was.
Er heerste een moment stilte.
'SMERSH!'
Het woord leek een zucht. Het werd op een toon ge-

zegd, alsof er nooit meer iets anders gezegd behoefde te worden. Het was het allerlaatste woord.
'Nee,' zei Le Chiffre, 'nee. Ik...' zijn stem stierf weg. Misschien wilde hij iets uitleggen, zich excuseren, maar wat hij op het gezicht van de ander zag, maakte dit alles overbodig.
'Je twee mannen zijn allebei dood. Je bent een dwaas en een dief en een verrader. Ik ben door de Sovjetunie gestuurd om je te elimineren. En je mag nog van geluk spreken dat ik alleen maar tijd heb om je dood te schieten. Ik had opdracht om je, zo mogelijk, een pijnlijke dood te doen ondergaan. We kunnen het einde van alle last die je ons bezorgd hebt nog niet eens overzien.'
De zware stem zweeg. Er heerste stilte en alleen de moeilijke ademhaling van Le Chiffre was hoorbaar.
Ergens buiten begon een vogel te zingen. De zonnestrepen werder breder en het zweet op Le Chiffre's gezicht glinsterde fel.
'Beken je schuld?'
Bond probeerde uit alle macht bij bewustzijn te blijven. Hij sperde zijn ogen wijd open en schudde zijn hoofd, maar zijn hele zenuwgestel was verdoofd, en zijn spieren reageerden niet. Hij kon alleen maar naar het grote, bleke gezicht met de uitpuilende ogen vlak voor hem kijken. Een dun straaltje speeksel liep uit de open mond.
'Ja,' zei de mond.
Er klonk een zwak sissend geluidje, niet harder dan het geluid van een ontsnappende luchtbel uit een tube tandpasta. Geen enkel ander gerucht, en plotseling had Le Chiffre er een oog bij gekregen, een derde oog, ter hoogte van de beide andere, precies op de plek waar zijn dikke neus begon. Het was een klein zwart oog, zonder wimpers en zonder wenkbrauwen.

Een seconde lang keken de drie ogen door de kamer, en toen scheen het hele gezicht op een knie weg te zakken. De twee buitenste ogen keken trillend naar het plafond. Toen viel het zware hoofd opzij, en toen de rechterschouder, en ten slotte zakte het bovenlichaam over de armleuning van de stoel alsof Le Chiffre misselijk werd. Er was nog even een zwak geschuifel van zijn hielen over de vloer, en toen bewoog er niets meer.
De hoge rugleuning van de stoel keek onaangedaan neer op het dode lichaam tussen zijn armen.
Achter Bond bewoog zich iets. Een hand kwam naar voren en trok Bonds kin achterover.
Hij keek in twee glinsterende ogen achter een klein zwart masker. Hij kreeg een indruk van een scherp gezicht onder de rand van een hoed, en van een kraag van een beige regenjas. Meer kon hij niet zien want toen werd zijn hoofd weer teruggeduwd.
'Je mag van geluk spreken,' zei de stem; 'ik heb geen bevel om jou te doden. Je leven is al tweemaal gered vandaag. Maar je kunt aan je chef vertellen, dat SMERSH alleen maar door een toeval of door een vergissing genadig is. In jouw geval werd je de eerste keer door het toeval, en de tweede keer door een vergissing gered, want ik had eigenlijk bevel moeten krijgen om alle vreemde spionnen, die als motten om een kaars om deze verrader zwermden, te doden.'
'Maar ik zal mijn visitekaartje achterlaten. Je bent een speler. Je speelt kaart. Misschien zul je nog wel eens op zekere dag tegen een van ons spelen. En dan is het beter dat we weten dat je een spion bent.'
Bond hoorde stappen achter zijn rechterschouder. Hij hoorde een mes openknippen. Bond zag een arm, een grote harige hand kwam uit een vuile manchet te voor-

schijn en in die hand was een stilet dat op een vulpen leek. Het mes zweefde een ogenblik boven de rug van Bonds rechterhand, die met draad aan de armleuning van de stoel vastgebonden was. De punt van de stilet gaf drie snelle rechte sneden. Een vierde snee kruiste deze aan het eind, dicht bij de knokkels. Bloed in de vorm van een omgekeerde 'M' begon langzaam op de vloer te druppelen.

De pijn was niets vergeleken bij de pijn die Bond al leed, maar het was genoeg om hem weer bewusteloos te maken. De stappen verwijderden zich en de deur werd zachtjes gesloten.

In de stilte drongen de vrolijke geluidjes van een zomerdag door het gesloten venster.

Op de vloer lagen twee plassen bloed, die in de loop van de dag langzaam groter werden.

19 *De witte tent*

Als je droomt dát je droomt ben je bijna wakker.
Gedurende de volgende twee dagen was James Bond permanent in deze toestand, zonder tot bewustzijn te komen. Hij doorleefde zijn dromen zonder een poging te doen ze te verstoren, hoewel de meeste schrikaanjagend en pijnlijk waren. Hij wist, dat hij in bed lag, en een van de ogenblikken dat hij bijna helder was dacht hij, dat er mensen om hem heen waren, maar hij deed geen poging om zijn ogen te openen en de wereld weer binnen te treden.
Hij voelde zich veiliger in de duisternis, en klampte zich daaraan vast.
Op de morgen van de derde dag werd hij door een bloedige nachtmerie bevend en zwetend wakker. Er lag een hand op zijn voorhoofd, die hij in verband met zijn droom bracht. Hij probeerde een arm op te tillen om de hand weg te duwen, maar hij kon zijn arm niet bewegen, want beide armen waren aan zijn bed vastgebonden. Zijn hele lichaam leek vastgebonden, en iets wat op een grote witte kist leek bedekte hem vanaf zijn borst tot aan zijn tenen, en benam hem het uitzicht op het voeteneinde. Hij vloekte verschrikkelijk, maar deze inspanning verbruikte al zijn kracht, en de woorden braken in een snik af. Tranen van verlatenheid en zelfmedelijden kwamen in zijn ogen.
Hij hoorde vaag de stem van een vrouw. Het leek een vriendelijke stem, en langzamerhand drong het tot hem

door, dat hij verzorgd werd en dat dit een vriend en geen vijand was. En hij kon het nauwelijks geloven. Hij was er zo zeker van geweest dat hij nog in gevangenschap was en dat de marteling weer opnieuw zou beginnen. Hij voelde, dat zijn gezicht met een zacht doekje, dat naar lavendel rook, afgeveegd werd; toen verloor hij weer het bewustzijn.
Toen hij enige uren later weer ontwaakte, was de angst weg en voelde hij zich veel beter. De zon scheen in de vrolijke kamer, en door het raam hoorde hij geluiden uit de tuin, en op de achtergrond het kabbelen van golfjes op de kust. Toen hij zijn hoofd bewoog, hoorde hij iets ritselen en een verpleegster, die naast zijn hoofdeinde had gezeten, stond op en kwam in zijn gezichtsveld. Ze was knap, en ze lachte toen ze zijn pols voelde.
'Ik ben blij, dat u eindelijk bij gekomen bent. Ik heb nog nooit iemand zó horen vloeken.'
Bond lachte tegen haar. 'Waar ben ik?' vroeg hij; hij was verbaasd, dat zijn stem helder en krachtig klonk.
'U bent in een ziekenhuis in Royale, en ik ben uit Engeland gekomen om u te verplegen. We zijn met z'n tweeën, en ik ben Zuster Gibson. Blijft u maar stil liggen, dan ga ik de dokter vertellen dat u wakker bent. U bent vanaf het moment dat u hier kwam bewusteloos geweest, en we maakten ons echt zorgen.
Bond sloot zijn ogen en onderzocht in gedachten zijn lichaam. Zijn polsen en zijn enkels deden hem het meest pijn, en zijn rechterhand, waarin de Rus hem gesneden had. In het midden van zijn lichaam had hij geen gevoel. Hij vermoedde, dat hij plaatselijk verdoofd was. En de rest van zijn lichaam was ook pijnlijk, net alsof hij een pak slaag had gehad. Overal voelde hij de druk van verband, en zijn ongeschoren nek en kin kriebelden

tegen de lakens. Aan zijn baard te voelen was hij zeker in drie dagen niet geschoren. Dat betekende, dat de marteling al twee dagen geleden was.
Hij stelde een lijstje van vragen in zijn hoofd op en toen ging de deur open en kwam de dokter binnen, gevolgd door de verpleegster; daar achter zag hij Mathis, die zijn bezorgdheid achter een brede glimlach probeerde te verbergen, zijn vinger op zijn lippen legde, op zijn tenen naar het raam liep en ging zitten.
De dokter, een Fransman met een jong, intelligent gezicht, was van zijn werk bij het Deuxième Bureau weggeroepen om Bond te behandelen. Hij ging naast zijn bed staan, legde zijn hand op Bonds voorhoofd en keek naar de temperatuurlijst achter het bed.
Hij sprak open en eerlijk.
'U hebt natuurlijk veel te vragen, mr. Bond,' zei hij in uitstekend Engels, 'en ik kan u op de meeste vragen antwoord geven. Maar ik wil uw krachten sparen, en daarom zal ik u de belangrijkste feiten vertellen. En dan kunt u een paar minuten met monsieur Mathis spreken, die gaarne enige details van u wil horen. Het is eigenlijk nog te vroeg voor dit gesprek, maar ik wil uw geest geruststellen, zodat wij verder kunnen gaan met uw lichaam te genezen, zonder dat we ons verder om uw geest behoeven te bekommeren.'
Zuster Gibson gaf de dokter een stoel en verliet de kamer.
'U bent hier al twee dagen,' ging de dokter verder. 'Uw wagen werd door een boer, die op weg naar de markt in Royale was, gevonden; hij lichtte onmiddellijk de politie in. Het duurde even vóórdat monsieur Mathis hoorde, dat het uw wagen was; en toen ging hij onmiddellijk met zijn mensen naar 'Les Noctambules'. Daar vonden ze

u en Le Chiffre en ook miss Lynd, die ongedeerd, en volgens haar bewering niet gemolesteerd was. Ze had een shock, maar is nu geheel hersteld terug in haar hotel. Haar superieuren in Londen hebben haar bevolen, in Royale te blijven totdat u genoeg hersteld bent om naar Engeland terug te keren.
De twee lijfwachten zijn dood; beiden werden vermoord door een enkele .35 kogel in het achterhoofd. Ze werden in dezelfde kamer gevonden als miss Lynd. Le Chiffre is ook dood; hij werd met eenzelfde wapen tussen de ogen geschoten. Was u getuige van zijn dood?'
'Ja,' zei Bond.
Uw eigen verwondingen zijn ernstig, maar u verkeert niet in levensgevaar, hoewel u veel bloed verloren hebt. Als alles goed gaat, zult u geheel herstellen, en zullen alle organen weer normaal functioneren.' De dokter lachte grimmig. 'Maar u zult de eerste dagen nog veel pijn moeten lijden, maar ik zal die zoveel mogelijk verzachten. Nu u weer bij bewustzijn bent, zullen uw armen losgemaakt worden, maar u moet uw lichaam niet bewegen, en de verpleegster heeft opdracht om uw armen weer vast te binden als u gaat slapen. In de eerste plaats hebt u rust nodig. Op het moment lijdt u aan een hevig geval van psychische en fysieke shock.'
De dokter wachtte even. 'Hoe lang bent u mishandeld?'
'Ongeveer een uur,' zei Bond.
'Dan is het een wonder, dat u nog in leven bent, en mag ik u wel gelukwensen. Er zullen weinig mannen zijn die zo iets kunnen verdragen. En laat dat dan een troost voor u zijn. Zoals monsieur Mathis wel weet, heb ik verschillende patiënten behandeld die dezelfde marteling hadden doorstaan, maar niemand is er zo goed afgekomen als u.'

De dokter keek Bond nog een ogenblik aan. Toen wendde hij zich bruusk tot Mathis.
'U krijgt tien minuten, en dan moet u gaan. En ik stel u er verantwoordelijk voor als de temperatuur van de patiënt oploopt.'
Hij lachte vriendelijk tegen hen beiden en verliet de kamer.
Mathis ging in de stoel van de dokter zitten.
'Dat is een fijne vent,' zei Bond. 'Ik vind hem enorm aardig.'
'Hij is in dienst van het Deuxième Bureau,' zei Mathis. 'Hij is een prima dokter, en ik zal je later wel eens een en ander over hem vertellen. Hij denkt, dat jij een wonder bent... en dat denk ik ook.
Maar dat kan wachten. Zoals je wel begrijpen kunt, moet er nog het nodige opgehelderd worden, en ik word natuurlijk door Parijs en Londen en zelfs via onze vriend Leiter door Washington aan mijn jasje getrokken. Tussen twee haakjes, ik heb een persoonlijke boodschap voor je van M. Ik had hem zelf aan de telefoon. Hij zei alleen maar, dat hij zwaar onder de indruk was. Ik vroeg, of dat alles was; toen zei hij: zeg maar tegen hem, dat het Ministerie van Financiën erg opgelucht is. Toen belde hij af.'
Bond grinnikte. Wat hem het meest plezier deed was het feit, dat M zelf Mathis opgebeld had. Zoiets kwam nooit voor. Het bestaan van M, om nog niet eens te spreken van zijn identiteit, werd nooit toegegeven. Hij kon zich zo voorstellen dat dit een opschudding in Londen teweeg had gebracht.
'Een lange, magere man met één arm kwam op de dag dat we je vonden uit Londen,' ging Mathis verder; hij wist uit eigen ervaring dat deze details Bond zouden interes-

seren, 'hij zorgde onder andere voor de verpleegsters. Zelfs je wagen wordt gerepareerd. Hij scheen Vespers baas te zijn. Hij bracht veel tijd met haar door, en gaf haar strenge instructies om voor jou te zorgen.'
'Het hoofd van afdeling S,' dacht Bond. 'Ze leggen werkelijk de rode loper voor me uit.'
'Nu,' zei Mathis, 'ter zake. Wie doodde Le Chiffre?'
'SMERSH,' zei Bond. Mathis floot tussen zijn tanden. 'Mijn God,' zei hij op respectvolle toen, 'ze waren hem dus op het spoor. Hoe zag hij eruit?'
Bond verklaarde in het kort wat er gebeurd was tot aan het moment van Le Chiffre's dood; het kostte hem veel inspanning, en hij was blij, toen het acher de rug was. Terwijl hij vertelde, beleefde hij de scène weer opnieuw; het zweet brak hem uit en zijn hele lichaam begon pijnlijk te kloppen.

Mathis bemerkte, dat hij te ver ging. Bonds stem werd zwakker en zijn ogen werden dof. Hij stak zijn stenobloc in zijn zak, en legde zijn hand op Bonds schouder.
'Neem me niet kwalijk,' zei hij. 'Het is allemaal voorbij, en je bent in goeie handen. Het is je schitterend gelukt. We hebben bekend gemaakt, dat Le Chiffre zijn beide medeplichtigen doodde, en toen zelfmoord pleegde, omdat hij een onderzoek naar de fondsen van zijn vakbond niet onder ogen durfde te zien. In Straatsburg en in het noorden is er grote herrie. Hij werd daar als een held beschouwd, en als een steunpilaar van de Communistische Partij in Frankrijk. De geschiedenis van die bordelen en casino's heeft de plannen van zijn organisatie de bodem ingeslagen, en ze rennen als schurftige katten heen en weer. De Communistische Partij heeft bekend gemaakt, dat Le Chiffre aan verstandsverbijs-

tering leed. Maar dat zal hen na die affaire met Thorez niet veel helpen. Ze laten het voorkomen, of al hun grote bonzen gaga waren. God weet, hoe ze hieruit moeten komen. Mathis zag, dat zijn enthousiasme het gewenste effect had. Bonds ogen stonden weer helder.
'Nog één mysterie,' zei Mathis, 'en dan ga ik.' Hij keek op zijn horloge. 'Anders krijg ik de dokter achter me aan. Hoe zit het met het geld? Waar is het? Waar heb je het verstopt? Wij hebben je kamer ook met bezemen gekeerd. En het is er niet.'
Bond grinnikte.
'Het is er wel,' zei hij, 'min of meer. Op elke kamerdeur zit een klein, vierkant zwart plaatje waar het nummer van de kamer op staat. Aan de kant van de gang natuurlijk. Toen Leiter die nacht wegging, heb ik de deur opengemaakt, het plaatje losgeschroefd, de opgevouwen cheque erachter gestopt, en toen het plaatje er weer opgeschroefd. Het zal er nog wel zitten.' Hij lachte. 'Ik ben blij, dat die slimme Fransen nog wat van die stomme Engelsen kunnen leren!'
Mathis lachte hartelijk. 'Jij hebt wraak genomen omdat ik wist, wat de Muntzes uitspookten. Nu zijn we quitte. Tussen twee haakjes, die hebben we te pakken. Volkomen onbelangrijk, en alleen maar voor deze speciale gelegenheid in dienst genomen. We zullen ze een paar jaar opsluiten.'
Hij stond haastig op toen de dokter binnen kwam rennen, en één blik op Bond wierp.
'Eruit,' zei hij tegen Mathis. 'Eruit, en kom niet terug!'
Mathis had nog net tijd om Bond vrolijk toe te wuiven en haastig afscheid te nemen voordat hij de deur uitgezet werd. Bond hoorde hun opgewonden stemmen in de gang. Hij was uitgeput, maar toch opgevrolijkt door

alles wat hij gehoord had. Hij dacht aan Vesper, toen hij in een onrustige slaap viel.
Er moesten nog vragen beantwoord worden, maar die konden wachten.

20 *Het goede en het kwade*

Bond ging goed vooruit; toen Mathis hem drie dagen later weer op kwam zoeken, zat hij rechtop in bed en waren zijn armen los. De onderste helft van zijn lichaam lag nog steeds onder de langwerpige tent, maar hij zag er opgewekt uit, en slechts af en toe vertrok zijn gezicht door pijn.
Mathis zag er bedrukt uit.
'Hier is je cheque,' zei hij tegen Bond. 'Ik vond het wel leuk om met veertigmiljoen francs in mijn zak rond te lopen, maar ik heb toch maar liever dat je hem tekent, en dan zal ik het bedrag op je rekening bij de Crédit Lyonnais laten storten.We hebben geen spoor van onze vriend van SMERSH gevonden. Maar dan ook helemaal niets, verdomme. Hij moet te voet of per fiets naar de villa zijn gekomen, want jij hebt geen wagen gehoord, en de twee lijfwachten blijkbaar ook niet. Het is om wanhopig te worden. We weten niet zoveel van die SMERSH-organisatie, en Londen evenmin. Washington beweerde van wel, maar dat bleek alleen gebaseerd op ondervragingen van refugiés, en jij weet ook wel dat je net zo goed een doorsnee Engelsman over zijn eigen Secret Sevice of een Fransman over het Deuxième Bureau kunt ondervragen.'
'Hij is waarschijnlijk via Warschau van Leningrad naar Berlijn gekomen,' zei Bond. 'Vanuit Berlijn kunnen ze alle kanten uit in Europa. Hij zal nu wel thuis zijn, en ze zullen hem wel op zijn vingers getikt hebben omdat

hij mij ook niet doodgeschoten heeft. Ze zullen daar wel een heel dossier over me hebben, in verband met enkele karweitjes die ik sinds de oorlog voor M heb opgeknapt. Hij dacht waarschijnlijk al handig te zijn door zijn initialen in mijn hand te snijden.'

'Wat zeg je nou?' vroeg Mathis. 'De dokter zei, dat de sneden op een vierkante M leken met een staart bovenaan. Hij zei, dat ze niets betekenden.'

'Ik heb het maar even gezien voordat ik bewusteloos werd, maar als de hand verbonden wordt zie ik de sneden elke keer, en ik ben er bijna zeker van dat het de Russische letter voor SH is. En die lijkt op een omgekeerde M met een staart. En dan is het duidelijk. SMERSH is de afkorting van SMYERT SHPIONAM... Dood aan Spionnen... en hij denkt, dat hij me nu als een spion gebrandmerkt heeft. Het is niet zo leuk, want M zal me wel, als ik weer in Londen terug ben, naar een ziekenhuis willen sturen om de huid op de rug van mijn hand te laten vernieuwen. Maar het komt er niet zo erg op aan. Ik heb toch besloten om ontslag te nemen.'

Mathis staarde hem aan. 'Ontslag nemen?' Bond keek Mathis niet aan. Hij keek naar zijn verbonden handen.

'Toen ik geranseld werd,' zei hij, 'vond ik het plotseling prettig om in leven te blijven. Voordat Le Chiffre begon, gebruikte hij een uitdrukking die ik niet vergeten kan... indiaantje spelen. Hij zei, dat ik dat gedaan had. En ik kon hem geen ongelijk geven.

Weet je,' zei hij, terwijl hij nog steeds naar zijn handen keek, 'als je jong bent, dan weet je precies wat goed en kwaad is, maar als je ouder bent, wordt dat moeilijker. Als je op school bent, dan vind je de één een schurk en de ander een held, en als je opgroeit wil je een held zijn en de schurken doodmaken.'

Hij keek Mathis koppig aan.
In de laatste paar jaar heb ik twee schurken gedood. De eerste was in New York... een Japanse code-expert die onze codes kraakte op de 36e verdieping van het R.C.A.-gebouw in Rockefeller Centre, waar de Jappen hun consulaat hadden. Ik huurde een kamer op de 40e verdieping van de tegenoverliggende wolkenkrabber; van daaruit kon ik hem zien zitten werken. Ik kreeg de beschikking over een collega van onze organisatie in New York en over een paar Remingtons 30-30 met telescopische viziers en geluiddempers. We smokkelden ze naar boven, en zaten dagen lang op onze kans te wachten. Mijn collega schoot één seconde eerder dan ik. Zijn taak was alleen maar een gat in het raam te schieten, zodat ik op de Jap kon mikken. Het Rockefeller Centre heeft stevige ramen, om het lawaai buiten te sluiten. Alles verliep prachtig. Zoals ik verwacht had, kreeg zijn kogel een afwijking door het glas: God weet, waar hij terecht kwam. Maar ik schoot onmiddellijk na hem, door het gat, dat hij gemaakt had. Ik schoot de Jap in zijn mond toen hij zich omdraaide om naar de kapotte ruit te kijken. Het was een goed schot, op bijna driehonderd meter afstand. Zonder persoonlijk contact. De volgende keer, in Stockholm, was niet zo prettig. Ik moest een Noor doden die tegen ons voor de Duitsers werkte. Hij had er kans toe gezien, om twee van onze mensen te laten pakken... die zullen ze wel vermoord hebben. Om verschillende redenen moest het volstrekt geruisloos gaan. Ik koos de slaapkamer van zijn flat uit, en werkte met een mes. Maar hij was niet direct dood.
Voor deze twee opdrachten kreeg ik een nummer met een dubbele 0 in de Dienst. Ik vond mezelf een handige vent, en kreeg een uitstekende reputatie. Een nummer

met een dubbele 0 betekent bij ons, dat je een vent in koelen bloede hebt vermoord bij de een of andere opdracht.' Bond keek Mathis aan.

'Dat is nu allemaal wel heel mooi: de held doodt twee schurken, maar als held Le Chiffre schurk Bond wil doden, en schurk Bond weet, dat hij helemaal geen schurk is, dan zie je de keerzijde van de medaille. Dan kun je de helden en de schurken niet meer uit elkaar houden. Natuurlijk,' zei hij, toen Mathis wilde protesteren, 'dan komt de liefde voor het vaderland naar voren, en maakt het schijnbaar allemaal goed, maar dat gedoe van: dit land is goed, en dat land is slecht, raakt een beetje uit de tijd. Tegenwoordig bestrijden we het communisme. Oké. Als ik vijftig jaar eerder had geleefd, zouden onze conservatieven toen communisten genoemd zijn, en dan hadden we die moeten bestrijden. Het verloop van de geschiedenis gaat snel in deze tijd, en de helden en de schurken verwisselen steeds van plaats.'

Mathis staarde hem stomverbaasd aan. Toen tikte hij op zijn hoofd, en legde een kalmerende hand op Bonds arm.

'Bedoel je dat die dierbare Le Chiffre, die zijn best heeft gedaan om van jouw een eunuch te maken, geen schurk is?' vroeg hij. 'Iedereen die jou zo'n onzin hoorde praten, zou denken, dat hij je op je hoofd geslagen heeft in plaats van op je...' Hij wees naar de witte tent. 'Wacht maar tot M je opdraagt, achter een andere Le Chiffre aan te gaan. Ik durf erom te wedden, dat je dat zult doen. En SMERSH dan? Ik kan je wel vertellen, dat ik het helemaal geen leuk idee vind, dat die kerels door Frankrijk dazen, en iedereen vermoorden die ze als een verrader van hun dierbare politieke overtuiging beschouwen. Je bent verdomme een anarchist!'

Hij stak zijn armen omhoog, en liet ze toen hulpeloos langs zijn zijden vallen.
Bond lachte.
'All right,' zei hij. 'Neem nu die Le Chiffre. Het is eenvoudig genoeg om te zeggen, dat hij een slecht mens was, en zeker voor mij, omdat hij me zo gemeen behandeld heeft. Als hij op dit moment hier was, zou ik niet aarzelen hem te doden, maar alleen uit persoonlijke wraak, niet om de een of andere morele reden of uit vaderlandsliefde.'
Hij keek Mathis eens aan om te zien, hoe deze reageerde op zijn beweringen: voor Mathis bestond alleen plichtsgevoel. Mathis lachte tegen hem.
'Ga verder, kerel. Ik vind het heel interessant, om deze nieuwe Bond te leren kennen. Engelsen zijn nu eenmaal eigenaardig. Ze lijken op Chinese, in elkaar passende dozen. Het duurt een hele tijd eer je bij de binnenste bent. En als het je eenmaal gelukt is, dan is het resultaat teleurstellend, maar het proces is leerzaam en onderhoudend. Ga verder. Laat je argumenten horen. Misschien is er iets bij wat ik tegen mijn eigen chef kan zeggen als ik van een onplezierig baantje af wil komen.' Hij grinnikte kwaadaardig.
Bond nam hier geen notitie van.
'Om het verschil tussen goed en kwaad vast te stellen, hebben we twee voorbeelden, die beide het uiterste voorstellen... het diepste zwart en het blankste wit... en we noemen die God en de Duivel. Maar daarbij zijn we niet helemaal eerlijk geweest. God staat ons duidelijk voor ogen, we kunnen elke haar van zijn baard zien. Maar die Duivel... hoe ziet hij eruit?' Bond keek Mathis triomfantelijk aan.
Mathis lachte sarcastisch.

'Als een vrouw.'
'Het is allemaal heel mooi,' zei Bond, 'maar ik heb over deze dingen nagedacht, en me afgevraagd, aan welke kant ik moet staan. Ik krijg medelijden met de Duivel en zijn discipelen, zoals Le Chiffre. De Duivel heeft het niet gemakkelijk, en ik sta altijd graag aan de kant van de man die de klappen krijgt. We geven hem geen kans. Er is een Goed Boek over de goedheid, waarin staat hoe je goed moet zijn, en zo, maar er is geen Slecht Boek over de slechtheid, en hoe je slecht moet zijn. De duivel had geen profeten om zijn Tien Geboden neer te schrijven, en geen auteurs om zijn biografie weer te geven. We weten niets anders van hem dan wat we van onze ouders en onze onderwijzers geleerd hebben. Er is geen boek, waaruit we alles wat slecht is kunnen leren: gelijkenissen over slechte mensen, spreekwoorden over slechte mensen en folklore over slechte mensen. We zien alleen maar het levende voorbeeld van mensen, die het minst goed zijn volgens onze eigen intuïtie.
En daarom,' vervolgde Bond, 'had Le Chiffre een prachtig doel, misschien wel het allermooiste doel. Door zijn eigen slechtheid, die ik heb helpen vernietigen, heeft hij een norm van slechtheid geschapen, waar tegenover een norm van goedheid kan bestaan. We hebben hem maar kort gekend, maar we hadden het voorrecht om zijn slechtheid te ondergaan, en wij komen na die kennismaking als betere mensen te voorschijn.'
'Bravo,' zei Mathis. 'Ik ben werkelijk trots op je. Ze moesten je elke dag martelen. Ik moet vanavond beslist iets slechts gaan doen. En maar zo vlug mogelijk. Er zijn een paar dingen in mijn bordeel... jammer genoeg maar kleinigheden,' voegde hij er bedroefd aan toe...

'maar ik zal mijn best doen nu ik het Licht gezien heb. Wat een heerlijke tijd zal ik hebben! Laat eens kijken, waar zal ik mee beginnen: moord, brandstichting, aanranding? Maar dat is eigenlijk nog niets. Ik zal de Marquis de Sade maar eens raadplegen. In deze dingen ben ik volkomen een kind.'

Zijn gezicht betrok.

'Maar ons geweten dan, Bond! Wat moeten we daarmee doen als we gaan zondigen? Dat is een probleem! En dat geweten is belangrijk, en al oud, al zo oud als de eerste apenfamilie die het in het leven riep. We moeten daar echt rekening mee houden, anders zou ons plezier bedorven zijn. We zouden dat geweten natuurlijk eerst de nek om kunnen draaien, maar het is nogal taai. Het zal niet gemakkelijk zijn, maar als we erin slagen, dan zouden we slechter dan Le Chiffre kunnen worden. Voor jou, m'n beste James, is het gemakkelijk. Jij kunt beginnen met ontslag te nemen. Dat was een grandioze gedachte van je, een prachtig begin voor je nieuwe carrière. En zo eenvoudig. Iedereen heeft de revolver van zijn ontslag in zijn zak. Je hoeft alleen maar de trekker over te halen, en dan zit er een groot gat in je land en in je geweten. Een moord en een zelfmoord met één kogel! En wat mij betreft, ik moet dadelijk mijn nieuwe leven gaan beginnen.'

Hij keek op zijn horloge.

'Mooi. Ik ben al begonnen. Ik ben een half uur te laat voor mijn afspraak met de commissaris van politie.'

Hij stond lachend op.

'Je hebt me reusachtig geamuseerd, James. Je moest variéteartiest worden. En wat dat kleine probleem van je betreft: het feit, dat je helden niet van schurken en schurken niet van helden kunt onderscheiden, en zo, dat is

natuurlijk alleen maar in het abstracte een moeilijk probleem. Het geheim ligt in je persoonlijke ervaringen, of je nu een Chinees of een Engelsman bent.'
Hij bleef bij de deur stilstaan.
'Je geeft toe, dat Le Chiffre je persoonlijk kwaad heeft gedaan en dat je hem hier ter plaatse zoudt doden? Nu, als je weer in Londen terug bent dan zul je merken, dat er nog meer Le Chiffre's zijn die jou en je vrienden en je land willen liquideren. M zal je daarover wel inlichten. En nu je werkelijk een slecht mens ontmoet hebt, weet je, hoe slecht de mensen kúnnen zijn, en je zult ze achtervolgen om ze te vernietigen, ter bescherming van jezelf en van de mensen waarvan je houdt. En dan ga je niet redeneren. Je weet nu hoe ze zijn, en wat ze iemand aan kunnen doen. Misschien zul je niet elk baantje meer aannemen; je zult er zeker van willen zijn, dat het doel werkelijk zwart is. Maar zulke baantjes zijn er genoeg. Er zal nog veel voor je te doen zijn. En je zúlt het doen. En als je verliefd wordt en een vriendinnetje of een vrouw met kinderen zult hebben, om ervoor te zorgen, zal het allemaal gemakkelijker gaan.'
Mathis deed de deur open. 'Ga onder de mensen, James. Daar kun je gemakkelijker voor vechten dan voor principes.'
Hij lachte. 'Maar stel me niet teleur door menselijk te worden. We zouden zo'n voortreffelijke machine verliezen.'
Hij wuifde met zijn hand en sloot de deur.
'Hey!' riep Bond.
Maar de voetstappen op de gang verwijderden zich snel.

21 *Vesper*

De volgende dag vroeg Bond naar Vesper.
Hij had haar niet eerder willen zien. Hij had gehoord, dat ze elke dag naar het ziekenhuis kwam om naar zijn toestand te informeren. Ze had bloemen gestuurd. Bond hield niet van bloemen, en hij had de zuster gevraagd ze aan een andere patiënt te geven. Toen dit tweemaal gebeurd was, kwamen er geen bloemen meer. Bond had haar niet willen beledigen. Hij hield niet van vrouwelijke dingen om zich heen. Bloemen stonden direct in verband met degene die ze gezonden had, en vestigden voortdurend de aandacht daarop. En dat vond hij vervelend. Hij wilde niet vertroeteld worden. Het gaf hem een opgesloten gevoel.
Bond vond het niet prettig dit Vesper duidelijk te moeten maken. En hij vond het vervelend haar een paar vragen te moeten stellen die hem bezig hielden, vragen over haar gedragingen. Haar antwoorden zouden haar nagenoeg zeker in een raar daglicht stellen. En dan moest hij eens over zijn rapport aan M gaan denken. En daarin wilde hij liever geen kritiek op Vesper leveren. Dat zou haar haar baantje kunnen kosten.
Maar in de eerste plaats schrok hij terug voor het antwoord op een meer pijnlijke vraag.
De dokter had meerdere malen met Bond over zijn verwondingen gesproken. Hij had hem verzekerd, dat hij geen nadelige gevolgen zou ondervinden, en dat hij geheel zou herstellen. Maar hij zelf kon dit niet geloven.

Als de injecties uitgewerkt waren, had hij nog steeds pijn. En hij had geestelijk zwaar geleden. Gedurende dat uur met Le Chiffre in die kamer was de zekerheid van impotentie er bij hem ingeranseld, en er was een litteken in zijn ziel dat alleen door ondervinding zou kunnen verdwijnen.

Vanaf het moment dat Bond Vesper voor het eerst in de Hermitage had ontmoet, had ze zijn verlangen opgewekt, en hij wist dat, als alles in de nachtclub anders was gelopen en zij niet ontvoerd was, hij geprobeerd zou hebben die nacht met haar naar bed te gaan. Zelfs later, in de auto en bij de villa, toen hij bij God wel andere dingen aan zijn hoofd had, werd hij hevig opgewonden door haar indecente naaktheid.

En nu hij haar weer terug zou zien, kreeg hij angst. Angst, dat zijn zintuigen en zijn lichaam niet op haar sensuele schoonheid zouden reageren. Angst, dat hij geen verlangen naar haar zou hebben. In gedachten had hij deze ontmoeting als een soort test beschouwd, en hij vreesde voor de uitslag. En dat was de werkelijke reden waarom hij deze eerste ontmoeting al een week uitgesteld had. Hij had het nog langer willen uitstellen, maar, zei hij tegen zichzelf, hij moest zijn rapport indienen. Er kon elk ogenblik iemand uit Londen komen om alle details te horen, en vandaag was hetzelfde als morgen.

En dus vroeg hij of ze bij hem wilde komen, en wel vroeg op de morgen, als hij fris en krachtig was na de nacht. Zonder enige geldige reden had hij verwacht, dat ze enig teken van haar belevenissen zou tonen, dat ze er bleek of slecht uit zou zien. En hij was niet voorbereid op het slanke, bruinverbrande meisje in een crème tussor jurk met een zwarte ceintuur, dat vrolijk de kamer binnen kwam en tegen hem lachte.

'M'n hemel, Vesper,' zei hij met een wrang glimlachje, 'je ziet er geweldig uit. Hoe ben je zo prachtig bruin geworden?'
'Ik voel me echt schuldig,' zei ze, terwijl ze naast zijn bed ging zitten. 'Maar ik ben elke dag wezen zonnebaden, terwijl jij hier lag. De dokter en het hoofd van afdeling S zeiden alletwee, dat ik dat moest doen, en ik dacht, dat het jou toch niet zou helpen als ik de hele dag in mijn kamer bleef rondhangen. Ik heb een heerlijk stukje strand ontdekt en ik neem elke dag mijn lunch en een boek mee, en kom niet vóór 's avonds terug. Ik ga met de bus en hoef alleen maar een eindje door de duinen te lopen; ik ben er nu wel overheen dat het in de buurt van de villa is.'
Haar stem haperde.
Toen zij over de villa sprak, knipperde Bond met zijn ogen. Ze ging dapper verder, en liet zich niet in de war brengen door het feit, dat Bond niet reageerde.
'De dokter zegt, dat het niet lang meer zal duren dat je op mag staan. En ik dacht, dat ik je misschien... misschien mee zou kunnen nemen naar dat strandje. De dokter zegt, dat zeebaden heel goed voor je zouden zijn.'
Bond gromde.
'God weet, wanneer ik weer zal kunnen zwemmen,' zei hij. 'Die dokter kletst maar wat. En als ik in zee kan, dan zal ik de eerste tijd maar beter op m'n eentje kunnen gaan. Ik maak niemand graag aan het schrikken. Afgescheiden daarvan,' hij wees naar de onderste helft van het bed, 'zit mijn lichaam vol met littekens en builen. Maar amuseer jij je maar. Er is geen enkele reden waarom jij dat niet zoudt doen.'
Vesper schrok van zijn bitterheid en onredelijkheid.
'Het spijt me,' zei ze, 'ik dacht... ik heb geprobeerd...'

Haar ogen vulden zich met tranen. Ze slikte.
'Ik wilde... ik wilde je helpen om beter te worden.'
Haar stem sloeg over. Ze keek hem zielig aan en barstte toen in snikken uit.
'Het spijt me zo,' zei ze nauwelijks hoorbaar, 'oh, het spijt me zo.' Ze zocht naar een zakdoek in haar tasje.
'Het is allemaal mijn schuld,' ze bette haar ogen, 'dat weet ik wel, het is mijn schuld.'
Bond was geroerd. Hij legde zijn verbonden hand op haar knie.
'Stil maar, Vesper. Sorry dat ik zo grof tegen je was. Ik ben alleen maar jaloers, omdat jij zo lekker in het zonnetje ligt, en ik hier. Als ik zover beter ben, ga ik met je mee, en dan moet ik je strandje zien. Dat is natuurlijk net wat ik nodig heb. Wat heerlijk zal dat zijn!'
Ze drukte zijn hand, stond op en liep naar het raam. Toen maakte ze zich op en kwam weer naar zijn bed. Bond keek haar vriendelijk aan. Zoals alle harde, koude mannen werd hij gauw door tranen geroerd. Ze was zo knap, en hij had een warm gevoel voor haar. Hij besloot, om zijn vragen zo eenvoudig mogelijk te stellen. Hij gaf haar een sigaret, en ze spraken over het bezoek van haar chef, en over de reacties in Londen over het einde van Le Chiffre.
Uit hetgeen zij vertelde maakte hij op, dat het uiteindelijke doel van het plan meer dan bereikt was. Over de gehele wereld was de geschiedenis bekend geworden, en correspondenten van de grote Engelse en Amerikaanse bladen waren naar Royale gekomen om de miljonair uit Jamaica, die Le Chiffre aan de speeltafel verslagen had, te zien. Ze hadden Vesper te pakken gekregen, maar zij had hun verteld, dat Bond naar Cannes en Monte Carlo was gegaan om verder te gokken. En toen wa-

ren ze naar het zuiden getrokken. Mathis en de politie hadden alle verdere sporen uitgewist, en de kranten hadden zich moeten beperken tot de toestand in Straatsburg en de chaos in de rangen der Franse communisten.

'Tussen twee haakjes, Vesper,' zei Bond, 'wat is er eigenlijk precies gebeurd nadat je me in de nachtclub verliet? Ik heb alleen maar de eigenlijke ontvoering gezien.' Hij vertelde haar in het kort wat hij vóór het Casino gezien had.

'Ik heb volkomen mijn hoofd verloren,' zei Vesper, terwijl ze Bonds ogen ontweek. 'Toen ik Mathis nergens in de hal zag, ben ik naar buiten gelopen; de portier vroeg, of ik miss Lynd was, en toen zei hij tegen me, dat de man, die me het briefje had gestuurd, in een auto beneden aan het bordes op ons wachtte. Ik was helemaal niet verbaasd. Ik kende Mathis pas een paar dagen en ik wist niet hoe zijn manier van werken was, en daarom liep ik regelrecht naar de auto. Deze stond in de schaduw; toen ik vlakbij was, sprongen de twee mannen van Le Chiffre van achter een andere auto tevoorschijn en trokken mijn rok over mijn hoofd.' Ze bloosde.

'Het klinkt nogal kinderachtig,' zei ze met een schuldige blik naar Bond, 'maar de uitwerking is zeer effectief. Je bent volslagen weerloos, en hoewel ik om hulp schreeuwde, geloof ik niet dat er vanonder mijn rok uit iets te horen was. Ik schopte zo hard als ik kon, maar dat had geen zin omdat ik niets kon zien en niets met mijn armen kon doen. Ze pakten me op en stopten me achter in de auto. Ik bleef me natuurlijk verzetten, en toen de wagen wegreed en ze probeerden een touw of zoiets om de rok boven mijn hoofd te binden, kon ik één arm vrij krijgen, en mijn tasje uit het raam gooien. Ik hoopte, dat dat succes zou hebben.'

Bond knikte.
'Ik deed het zuiver instinctief. Ik dacht, dat jij er geen idee van zoudt hebben wat er met mij gebeurd was, en ik was gek van angst. En toen deed ik het eerste wat bij me op kwam.'
Bond wist, dat ze achter hém aan waren geweest, en dat ze, als Vesper haar tasje niet naar buiten had gegooid, het waarschijnlijk zelf gedaan zouden hebben toen ze hem op het bordes zagen verschijnen.
'Het was een goed idee,' zei Bond, 'maar waarom gaf je me niet het een of andere teken na het auto-ongeluk, toen ik tegen je sprak? Ik wist me geen raad. Ik dacht, dat ze je bewusteloos geslagen hadden.'
'Ik denk, dat ik flauw gevallen was,' zei Vesper. 'Dat was al een keer eerder gebeurd, en toen ik weer bij kwam hadden ze een gat in de rok getrokken, zodat ik adem kon halen. Ik herinner me niet veel meer van die tocht. Ik realiseerde me pas dat je gevangen genomen was toen je me in de gang achterna liep.'
'En ze hebben je niets gedaan?' vroeg Bond. 'Hebben ze niets geprobeerd toen ik mishandeld werd?'
'Neen,' zei Vesper. 'Ze lieten me in een stoel zitten. Ze gingen drinken, en een of ander kaartspel spelen... belote heette het geloof ik, en toen gingen ze slapen. En zo kreeg SMERSH ze ook te pakken. Mijn benen werden vastgebonden, en ik werd in mijn stoel in een hoek, met mijn rug naar de kamer gezet, zodat ik niets kon zien. Ik hoorde wel wat. Ik dacht, dat er iemand uit zijn stoel viel. Toen hoorde ik zachte voetstappen, er ging een deur dicht en toen gebeurde er niets meer totdat Mathis en de politie binnenstormden. Ik heb het grootste deel van de tijd geslapen. Ik had er geen idee van wat er met jou gebeurd was, maar één keer hoorde

ik een vreselijke schreeuw. Het klonk van verweg. Tenminste, nu denk ik dat ik hoorde schreeuwen. Toen dacht ik, dat het een nachtmerrie was.'
'Dat zal ik wel geweest zijn,' zei Bond.
Vesper stak haar hand uit, en legde die op de zijne. Haar ogen vulden zich met tranen.
'Het is vreselijk,' zei ze. 'Wat ze met jou gedaan hebben, en allemaal door mijn schuld! Als ik niet...'
Ze verborg haar gezicht in haar handen.
Bond troostte haar. 'Gedane zaken nemen geen keer. Het is nu allemaal voorbij, en goddank hebben ze jou met rust gelaten. Hij streelde haar knie. 'Ze zouden met jou begonnen zijn als ze mij eronder hadden gekregen,' (eronder is niet gek, dacht hij bij zichzelf!) 'We mogen SMERSH wel dankbaar zijn. En laten we het nu maar vergeten. Jij hebt geen schuld. Iedereen zou dat briefje geloofd hebben. Kom, we praten er niet meer over,' zei hij vrolijk.
Vesper keek hem door haar tranen heen dankbaar aan.
'Beloof je me dat?' vroeg ze. 'Ik dacht, dat je het me nooit zou vergeven. Ik... ik zal proberen het goed te maken, hoe dan ook.' Ze keek hem aan.
Hoe dan ook, dacht Bond. Ze lachte tegen hem. Hij lachte terug.
'Pas maar op,' zei hij, 'daar zou ik je wel eens aan kunnen houden.'
Ze keek hem alleen maar aan, en zei niets. Toen stond ze op.
'Beloofd is beloofd,' zei ze.
Ditmaal wisten ze beiden, wat deze belofte inhield.
Ze pakte haar tasje van het bed en liep naar de deur.
'Zal ik morgen terugkomen?' vroeg ze ernstig.
'Ja graag, Vesper,' zei Bond. 'Dat vind ik prettig. En

maak nog maar wat ontdekkingstochtjes. Dan kan ik vast gaan bedenken wat we kunnen gaan doen als ik op mag. Zul jij ook wat bedenken?'
'Ja,' zei Vesper. 'Wordt maar gauw beter.'
Ze keken elkaar even aan. Toen ging ze gauw weg, en Bond luisterde naar het wegsterven van haar voetstappen.

22 *De snelle zwarte wagen*

Vanaf die dag herstelde Bond snel.
Hij zat rechtop in bed en schreef zijn rapport voor M. Hij stapte luchtig over het amateuristische gedrag van Vesper heen. Hij deed de ontvoering veel Macchiavellistischer voorkomen dan in werkelijkheid het geval was geweest. Hij prees Vespers koelheid en zelfbeheersing gedurende de hele episode, zonder te vermelden dat hij het een en ander van haar onbegrijpelijk vond.
Vesper kwam hem elke dag opzoeken, en hij zag met verlangen naar haar visites uit. Ze sprak vrolijk over haar avonturen van de vorige dag, haar tochtjes langs de kust en de restaurants waar ze gegeten had. Ze had kennis gemaakt met de commissaris van politie, en met een van de directeuren van het Casino, en zij namen haar 's avonds mee uit, en gaven haar af en toe een auto te leen. Ze hield een oogje op de reparaties aan de Bentley, die naar een garage in Rouen was gebracht, en ze zorgde er zelfs voor dat er wat kleren uit Bonds flat in Londen gestuurd werden. Van zijn garderobe in Royale was niets overgebleven. Elk stukje stof was in snippertjes gesneden bij het zoeken naar de veertigmiljoen francs.
De Le Chiffre-affaire werd nooit meer tussen hen genoemd. Af en toe vertelde ze Bond grappige histories over het bureau van het hoofd van afdeling S. Ze was, voordat ze op die afdeling kwam, bij de W.R.N.S. geweest. En hij vertelde haar over zijn eigen avonturen bij

de Dienst. Hij merkte, dat hij prettig met haar praten kon, en dat verwonderde hem eigenlijk.
Zijn omgang met de meeste vrouwen was stilzwijgend en hartstochtelijk. De langdradige ouverture vóór een verhouding verveelde hem meestal even erg als het zich weer vrij maken. Het verloop van elke affaire vond hij eigenlijk maar vervelend. De conventionele lijn die altijd gevolgd werd: de verliefdheid, de liefkozing, de zoen, de hartstochtelijke zoen, het lichamelijk contact, het hoogtepunt in bed, meer bed, dan minder bed, dan de verveling, de tranen en de bitterheid, voor hem was dit alles beschamend en schijnheilig. Nog groter was zijn afkeer van de mis-en-scène voor de verschillende stadia... de afspraak op een party, het restaurant, de taxi, zijn flat, haar flat, dan een week-end aan zee, weer de flats, dan de uitvluchten en eindelijk het onaangename afscheid op een of andere stoep in de regen.
Maar met Vesper was het anders.
Haar komst was voor hem elke dag een oase van genoegen, iets waar hij naar uitkeek. Hun verhouding was kameraadschappelijk, met een ondertoon van hartstocht. Op de achtergrond was daar haar belofte die t.z.t. ingelost zou worden. Over dit alles lag de schaduw van zijn wonden, en de tantaluskwelling van zijn langzaam herstel.
Of Bond het prettig vond of niet: Amor had hem met zijn pijlen geraakt.
En toen kwam de dag dat hij op mocht staan. Toen mocht hij in de tuin zitten. Daarna kwam de eerste korte wandeling, en toen een lange autorit. Op een middag kwam de dokter uit Parijs vliegen, en Bond werd genezen ontslagen. Vesper bracht zijn kleren, hij nam afscheid van zijn verpleegsters en toen vertrokken ze in een taxi.

Het was drie weken geleden dat hij op het randje van de dood had gezweefd; het was juli en volop zomer. Bond genoot intens van het ogenblik.
Hun bestemming was een verrassing voor hem. Hij had niet naar een van de grote hotels in Royale willen terugkeren, en Vesper had beloofd dat ze iets buiten de stad zou zoeken. Maar ze deed er zeer geheimzinnig over, en ze had hem alleen verteld dat ze iets naar zijn zin gevonden had. Hij liet alles aan haar over, maar plaagde haar door haar keuze 'Trou sur Mer' te noemen, en de landelijke geneugten van buiten-w.c.'s, wandluizen en kakkerlakken op te hemelen.
Hun tochtje werd bedorven door een eigenaardig incident.
Toen ze op de kustweg in de richting van Les Noctambules reden, vertelde Bond haar over zijn wilde jacht in de Bentley; hij wees haar de laatste bocht vóór het autoongeluk, en de plek waar de mat met stalen tanden had gelegen. Hij vroeg de chauffeur langzamer te rijden, en leunde uit de wagen om haar de diepe sporen op het wegdek te laten zien, de afgebroken takken van de heg en de olievlek waar de wagen was blijven staan.
Maar Vesper deed afwezig; ze was onrustig, en gaf alleen maar korte antwoorden. Hij zag haar een paar maal door de achterruit kijken, maar toen hij zelf keek, waren ze net door een bocht en zag hij niets.
Hij nam haar hand in de zijne.
'Er is iets, Vesper,' zei hij.
Ze lachte vrolijk tegen hem. 'O neen, er is niets. Totaal niets. Ik had alleen het idee, dat we gevolgd werden. Maar dat zullen wel zenuwen zijn, denk ik. Deze weg is vol met geesten.'
Ze lachte kort en keek toen weer achterom.

'Kijk dan!' Haar stem klonk verschrikt.
Gehoorzaam draaide Bond zich om. Inderdaad reed er een zwarte gesloten wagen met grote snelheid achter hen. Hij lachte.
'Wij gebruiken deze weg niet alleen,' zei hij. 'En wie zou ons nu moeten volgen? We hebben niets verkeerds gedaan.' Hij streelde haar hand. 'Het is vast een handelsreiziger van middelbare leeftijd, die op weg naar Le Havre is. Waarschijnlijk denkt hij aan zijn lunch, of aan zijn vriendinnetje in Parijs. Heus Vesper, je moet niet iedereen verdenken.'
'Je zult wel gelijk hebben,' zei ze zenuwachtig. 'En we zijn er bijna.'
Ze zei geen woord meer en keek door het raampje.
Bond voelde haar spanning aan. Hij moest in zichzelf lachen om wat hij voor een reactie op hun vroegere avonturen hield. Maar hij zou haar haar zin geven, en toen ze bij een smal laantje kwamen dat bij de zee uitkwam, en de chauffeur afremde om erin te rijden, zei hij hem dat hij, direct als ze afgeslagen waren, moest stoppen. Verborgen door een hoge heg, keken ze samen door de achterruit.
Ze hoorden de wagen dichterbij komen. Vesper kneep Bond in zijn arm. De snelheid van de wagen verminderde niet toen hij hun schuilplaats bereikte, en ze kregen maar een korte glimp van het profiel van een man toen de zwarte auto voorbijreed.
Het was waar dat hij een kort ogenblik naar hen scheen te kijken, maar boven hen in de heg was een vrolijk gekleurd bord aangebracht waarop stond: 'l'Auberge du Fruit Défendu, crustaces, fritures'. Het was Bond duidelijk, dat dit bord het oog van de man achter het stuur had getrokken.

Toen het geluid van de motor wegstierf, liet Vesper zich weer in haar hoekje terugvallen. Ze zag bleek.
'Hij keek naar ons,' zei ze. 'Ik heb het je wel gezegd. Ik wist, dat we gevolgd werden. En nu weten ze waar we zijn.'
Bond werd ongeduldig. 'Onzin,' zei hij. 'Hij keek naar dat bord.' Hij wees het Vesper aan.
Ze keek enigszins opgelucht. 'Denk je dat heus?' vroeg ze. 'Ja, ik zie het. Natuurlijk heb je gelijk. Laten we verder gaan. Het spijt me, dat ik zo dom was. Ik begrijp het nu zelf niet.'
Ze leunde naar voren, en zei wat tegen de chauffeur. Toen reden ze verder. Ze keek Bond vrolijk aan, en haar wangen kregen weer kleur. 'Het spijt me zo. Het komt... het komt omdat ik nog maar steeds niet kan geloven dat alles nu voorbij is, en dat we niet bang meer hoeven te zijn. Je zult me wel dwaas vinden.'
'Natuurlijk niet,' zei Bond. 'Maar er is heus niemand die nu nog belang in ons stelt. Vergeet het nu toch. De zaak is afgelopen. We hebben vakantie, en er is geen wolkje aan de hemel. Nee toch hè?' drong hij aan.
'Nee, natuurlijk niet.' Ze schudde haar hoofd. 'Ik ben mal. We zijn er zó! Ik hoop, dat je het aardig zult vinden.'
Ze leunden beiden naar voren. Haar gezicht stond weer opgewekt, en van het incident bleef maar een heel klein vraagtekentje in de lucht hangen. En ook dat verdween toen ze door de duinen reden en de zee zagen, en het kleine hotelletje tussen de dennen.
'Het is niet zo erg groot,' zei Vesper. 'Maar het is er schoon, en het eten is er heerlijk.' Ze keek hem angstig aan.
Ze had zich geen zorgen behoeven te maken. Bond was

op het eerste gezicht verrukt: het terras, dat bijna tot de zee reikte, het lage huis van twee verdiepingen, met de vrolijke steenrode zonneschermen boven de ramen en de blauwe zee met het gouden strand. Hoe dikwijls in zijn leven had hij niet alles willen geven om een hoofdweg te verlaten en een verloren hoekje als dit te vinden, waar hij de wereld, de wereld kon laten en van 's morgens vroeg tot 's avonds laat in zee kon leven. En nu zou hij een hele week hebben, met Vesper.
Ze stopten op de binnenplaats achter het huis, en de eigenaar en zijn vrouw kwamen naar buiten om hen te begroeten.
Monsieur Versoix was van middelbare leeftijd. Hij had maar één arm. De andere had hij verloren toen hij met de vrije Fransen in Madagascar had gevochten. Hij was een vriend van de commissaris van politie in Royale en het was de commissaris die Vesper op het idee had gebracht, en telefonisch met de eigenaar gesproken had. Het resultaat was, dat niets te goed voor hen zou zijn. Madame Versoix was midden in haar toebereidselen voor het diner gestoord. Ze had een schort voor, en hield een houten lepel in haar hand. Ze was jonger dan haar man; ze was mollig en knap, en had vriendelijke ogen. Bond vermoedde, dat ze geen kinderen hadden, en al hun genegenheid aan hun vrienden en aan hun vaste klanten schonken. Ze zouden ook wel huisdieren hebben. Hij dacht, dat ze het niet zo gemakkelijk zouden hebben, en dat het hotelletje wel heel eenzaam zou zijn in de winter, met een woeste zee en het ritselen van de wind in de dennen.
Monsieur Versoix liet hun de kamers zien.
Vesper had een tweepersoonskamer. Daarnaast was die van Bond, die op een hoek lag; één raam keek op zee

uit en het andere op een deel van de baai. Tussen beide kamers was een badkamer. Het zag er alles even helder en comfortabel uit.
Monsieur Versoix was blij, toen ze zo enthousiast deden. Hij zei, dat het diner om half acht was, en dat 'madame la patronne' gekookte kreeft met gesmolten boter aan het klaarmaken was. Het speet hem dat er zo weinig gasten waren. Het was dinsdag, maar met het week-end zouden er nog anderen komen. Het seizoen was niet zo goed geweest. Meestal waren er nogal wat Engelsen, maar de tijden waren moeilijk aan de overkant, en de Engelsen gingen nu slechts voor een weekend naar Royale en gingen dan, nadat ze hun geld in het Casino verloren hadden, weer naar huis. Het leek niet meer op vroeger. Hij haalde berustend zijn schouders op. 'Geen enkele dag was hetzelfde als de vorige dag, en geen enkele eeuw, en...'
'Inderdaad,' zei Bond.

23 *Het getij van de hartstocht*

Ze stonden op de drempel van Vespers kamer. Toen monsieur Versoix wegging, duwde Bond haar naar binnen en sloot de deur. Toen legde hij zijn handen op haar schouders en kuste haar op beide wangen.
'Dit is de hemel,' zei hij.
Toen zag hij, dat haar ogen schitterden. Ze legde haar handen op zijn armen. Hij ging vlak voor haar staan en sloeg zijn armen om haar middel. Ze boog haar hoofd achterover en gaf hem haar mond.
'Mijn liefste,' zei hij. Hij drukte zijn mond op de hare en dwong met zijn tong haar tanden van elkaar. Eerst was ze verlegen, maar toen beantwoordde ze zijn hartstocht. Hij liet zijn handen langs haar lichaam glijden, en drukte haar stevig tegen zich aan. Hijgend trok ze haar mond terug, en ze klemden zich aan elkaar vast, terwijl hij zijn wang over de hare wreef en haar stevige borsten tegen zich aan voelde. Toen pakte hij haar beet, trok haar hoofd achterover en kuste haar weer. Ze duwde hem weg en zonk uitgeput op het bed neer. Ze keken elkaar hunkerend aan.
'Sorry, Vesper,' zei hij.
Ze schudde het hoofd, versuft door de storm die in haar woedde.
Hij kwam naast haar zitten, en ze keken elkaar teder aan, terwijl de hartstocht in hun bloed wegebde.
Ze boog zich naar voren, en zoende hem op zijn mondhoek; toen streek ze de zwarte haarlok weg.

'Lieveling,' zei ze. 'Geef me een sigaret. Ik weet niet, waar mijn tasje is.' Ze keek zoekend door de kamer.
Bond stak er een aan en schoof die tussen haar lippen. Ze inhaleerde diep en liet de rook met een langzame zucht door haar mond ontsnappen.
Bond sloeg zijn arm om haar heen, maar ze stond op en liep naar het raam. Ze ging met haar rug naar hem toe staan. Bond keek naar zijn handen en zag dat ze nog beefden.
'We moeten ons nog verkleden voor het diner,' zei Vesper, terwijl ze hem nog steeds niet aankeek. 'Als jij nu eens in zee ging? Dan ga ik de koffers uitpakken.'
Bond stond op en ging vlak achter haar staan. Hij sloeg zijn armen om haar heen, en nam haar borsten in zijn handen. Ze legde haar handen over de zijne en drukte ze stijf tegen zich aan; nog steeds keek ze uit het raam.
'Nu niet,' zei ze zachtjes.
Bond bukte zich en kuste haar in haar nek. Een moment lang hield hij haar nog vast; toen liet hij haar los.
'All right, Vesper,' zei hij. Hij liep naar de deur en keek om. Ze had zich niet bewogen. Hij dacht, dat ze huilde. Hij deed een stap terug in de kamer, en bedacht toen, dat niets meer tussen hen te zeggen was.
'Mijn liefste,' zei hij.
Toen ging hij de kamer uit en sloot de deur.
Hij ging in zijn kamer op bed zitten. Hij voelde zich zwak door de hartstocht die hem overmeesterd had. Aan de ene kant verlangde hij ernaar languit op zijn bed te gaan liggen en aan de andere kant snakte hij naar de zee. Hij overwoog beide mogelijkheden voor een moment; toen maakte hij zijn koffer open, en haalde er een witlinnen zwembroek en een donkerblauw pyjamajasje uit.

Bond had altijd een hekel aan pyjama's gehad, en altijd naakt geslapen. Totdat hij aan het einde van de oorlog in Hong Kong het perfecte compromis vond. Dit was een pyjamajas die bijna tot zijn knieën reikte. Er zaten geen knopen aan, maar om het middel zat een losse ceintuur. De mouwen waren wijd en kort en eindigden vlak boven de elleboog. Het resultaat was koel en gemakkelijk, en toen hij de jas over zijn zwembroek aandeed, waren alle littekens en kneuzingen verborgen, behalve de dunne witte armbanden om zijn polsen en zijn enkels, en het kenteken van SMERSH op zijn rechterhand.
Hij trok een paar donkerblauwe leren sandalen aan en ging naar beneden; toen liep hij over het terras naar het strand. Toen hij langs de voorkant van het huis kwam, dacht hij aan Vesper, maar hij keek niet naar boven om te zien of ze nog steeds voor het raam stond.
Hij liep op het harde, goudgele zand langs de waterkant totdat hij uit het gezicht van het hotel was. Toen wierp hij zijn pyjamajas uit, nam een korte aanloop en dook in de golven. De kust helde af, en hij bleef zo lang mogelijk onder water; hij zwom met krachtige slagen en voelde de zachte koelte over hem heen. Toen kwam hij aan de oppervlakte en streek zijn haar uit zijn ogen. Het was bijna zeven uur, en de zon had veel van haar warmte verloren. Het zou niet lang meer duren of ze zou ondergaan, maar nu scheen ze nog recht in zijn ogen, en hij ging op zijn rug liggen en zwom met de zon achter zich, zodat hij er zo lang mogelijk van kon profiteren.
Toen hij bijna een mijl verder aan land ging, kon hij zijn pyjama al bijna niet meer zien, maar hij wist, dat hij nog genoeg tijd had om op het strand te gaan liggen drogen. Hij trok zijn zwembroek uit en bekeek zijn lichaam. Er waren nog maar enkele sporen van zijn verwondingen te

zien. Hij haalde zijn schouders op en ging uitgestrekt liggen staren naar de blauwe lucht; hij dacht aan Vesper. Zijn gevoelens voor haar waren verward, en dat irriteerde hem. En ze waren eerst zo ongecompliceerd geweest. Hij had het plan gehad om zo snel mogelijk met haar naar bed te gaan, omdat hij naar haar verlangde, en ook omdat hij het herstel van zijn lichaam op de proef wilde stellen. Hij had zich voorgesteld, dat ze een paar dagen samen zouden zijn, en dan zou hij haar af en toe in Londen kunnen ontmoeten. Daarna zou het onvermijdelijke einde komen, wat door hun positie bij de Dienst gemakkelijk zou gaan. Mocht het niet zo eenvoudig zijn, dan kon hij een opdracht in het buitenland aanvaarden, of hij kon ontslag nemen en gaan reizen, iets wat hij altijd gewild had.

Maar ze liet hem niet meer los, en zijn gevoelens tegenover haar hadden zich de laatste weken gewijzigd. Hij vond haar gezelschap prettig, en niet veeleisend. Zij had iets raadselachtigs over zich dat hem voortdurend boeide. Hij wist nog zo weinig van haar ware aard, en hij voelde dat zij, hoe lang ze ook samen zouden zijn, altijd een eigen vertrekje zou hebben waarin hij nooit zou kunnen binnentreden.

Ze was attent en vol consideratie, zonder slaafs te zijn. En nu wist hij, dat ze sensueel was, maar dat de overwinning van haar lichaam, doordat zij zich nooit geheel zou geven, elke keer iets van een verkrachting zou hebben. Haar fysiek lief te hebben zou iedere keer een heerlijk reisje betekenen, zonder de anticlimax van de aankomst. Ze zou zich gretig overgeven, dacht hij, en van alle intimiteiten in bed genieten, zonder zich ooit te laten bezitten. Bond lag naakt omhoog te staren, en probeerde de gevolgtrekkingen, die hij in de lucht las, van zich af

te zetten. Hij draaide zijn hoofd om, keek de kust langs en zag, dat de sohaduwen vanaf het land hem bijna bereikt hadden.
Hij stond op en wreef het zand van zijn lichaam. Hij besloot een bad te nemen als hij in het hotel terug was, en in gedachten pakte hij zijn broekje op en liep langs de kust terug. Toen hij bij zijn pyjamajasje kwam, realiseerde hij zich, dat hij nog steeds naakt was. Zonder zich om het broekje te bekommeren, trok hij het lichte jasje aan en liep naar het hotel.
En toen had hij zijn besluit genomen.

24 *Fruit deféndu*

Toen hij op zijn kamer kwam zag hij, dat zijn koffers uitgepakt waren en dat zijn tandenborstel en scheergerei netjes aan één kant van de glazen plaat boven de wasbak gerangschikt waren. Aan de andere kant lag Vespers tandenborstel; daarnaast stonden een paar flesjes en een pot gezichtcrème.

Hij keek naar de flesjes, en was verbaasd toen hij zag, dat een der flesjes nembutal slaaptabletten bevatte. Misschien waren haar zenuwen door alles wat er in de villa gebeurd was toch erger geschokt dan hij gedacht had.

Zijn bad was vol, en op een stoel lag naast zijn handdoek een kostbare flacon dennenaaldenbadzout.

'Vesper,' riep hij.

'Ja?'

'Je denkt werkelijk aan alles. Ik voel me net een dure gigolo.'

'Ik heb opdracht, om voor je te zorgen. Ik doe alleen maar wat ik moet doen.'

'Lieveling, het bad is precies goed. Wil je met me trouwen?'

Ze snoof. 'Je hebt een slavin nodig, en geen vrouw.'

'Maar ik wil jou.'

'Kom, ik verlang naar de kreeft en de champagne, schiet een beetje op.'

'All right, all right,' zei Bond.

Hij droogde zich af en trok een donkerblauwe broek en

een wit hemd aan. Hij hoopte, dat Vesper ook eenvoudig gekleed zou zijn, en hij vond het prettig toen zij zonder kloppen in de deuropening verscheen in een lichtblauwe blouse en een donkerrode katoenen plooirok.
'Ik kon niet langer wachten. Ik ben uitgehongerd; mijn kamer ligt boven de keuken, en ik werd gekweld door de heerlijke geuren.'
Hij ging naar haar toe en sloeg zijn arm om haar heen. Ze pakte zijn hand vast en samen liepen ze de trap af naar het terras, waar een tafeltje voor hen gedekt was dat beschenen werd door het licht van de lege eetzaal. De champagne, die Bond bij hun aankomst al besteld had, stond in een zilveren koeler naast hun tafeltje, en Bond schonk twee glazen vol. Vesper besteedde haar aandacht aan een heerlijke eigengemaakte leverpastei, en smeerde voor hen beiden het heerlijke brosse Franse brood met de goudgele boter die opgediend was in een schaaltje met kleine stukjes ijs.
Ze keken elkaar aan en dronken hun glas leeg; Bond vulde de glazen opnieuw tot de rand.
Terwijl ze aten vertelde Bond haar van zijn zeebad, en ze spraken af wat ze de volgende morgen zouden doen. Ze spraken gedurende de maaltijd niet over hun gevoelens voor elkaar, maar zowel in Vespers ogen als in die van Bond blonk de verwachting voor de komende nacht. Hun handen en voeten raakten elkaar af en toe aan, alsof ze de spanning in hun lichaam wilden verminderen. Toen de kreeft genuttigd was, en de tweede fles champagne half leeg was, en ze dik room over hun aardbeien hadden gedaan, slaakte Vesper een diepe zucht van tevredenheid.
'Ik gedraag me als een varken,' zei ze gelukkig. 'Ik krijg altijd alles van jou wat ik het lekkerste vind. Ik ben

nog nooit in mijn leven zó verwend.' Ze keek over het terras naar de baai die door de maan beschenen werd. 'Ik wilde maar, dat ik het verdiende.' Haar stem had een wrange ondertoon.
'Wat bedoel je?' vroeg Bond verbaasd.
'Och, ik weet het niet. Ik geloof, dat een mens krijgt wat hij verdient, dus misschien verdien ik het toch wel.' Ze keek hem lachend aan. Haar ogen vernauwden zich.
'Je weet eigenlijk niet veel van me,' zei ze plotseling.
Bond verbaasde zich over de ernstige ondertoon in haar stem.
'Meer dan genoeg,' zei hij lachend. 'Genoeg voor de eerstvolgende dagen. Van mij weet jij ook niet zoveel.' Hij schonk weer champagne in.
Vesper keek hem nadenkend aan.
'Mensen zijn net eilanden,' zei ze. 'Ze raken elkaar nooit werkelijk aan. Hoe dicht ze ook bij elkaar staan, in wezen zijn ze gescheiden. Zelfs als ze vijftig jaar getrouwd zijn.'
Bond dacht teleurgesteld, dat ze een treurige dronk over zich had. Te veel champagne had haar melancholiek gemaakt. Maar plotseling lachte ze vrolijk. 'Kijk niet zo bezorgd.' Ze leunde naar voren en legde haar hand over de zijne. 'Ik ben alleen maar sentimenteel. In elk geval ligt mijn eiland vanavond heel dicht bij het jouwe.' Ze nam een slok champagne.
Bond lachte opgelucht. 'Laten we er een schiereiland van maken,' zei hij. 'Nu direct als we onze aardbeien op hebben.'
'Nee,' zei ze op flirtende toon. 'Ik wil eerst koffie.'
'Met cognac,' antwoordde Bond.
De kleine schaduw was weggetrokken. De tweede kleine schaduw. Deze liet óók een klein vraagteken in de

lucht hangen. Maar dat verdween spoedig toen warmte en intimiteit hen weer omringden.
Toen ze koffie met cognac hadden gedronken, pakte Vesper haar tasje en kwam achter hem staan.
'Ik ben moe,' zei ze, terwijl ze een hand op zijn schouder legde.
Hij legde zijn hand over de hare, en bleef even stil zitten. Ze bukte zich en drukte een lichte zoen op zijn haar.
Toen was ze weg, en een paar tellen later ging het licht in haar kamer aan.
Bond rookte een sigaret en wachtte tot het uit was. Toen wenste hij de eigenaar en zijn vrouw goedenacht, prees het diner en ging naar boven.
Het was pas half tien toen hij via de badkamer haar kamer binnenging en de deur achter zich sloot.
Het maanlicht scheen door de halfgeopende luiken en speelde met de geheime schaduwen van haar blanke lichaam op het brede bed.

Bond werd bij het eerste morgenlicht in zijn eigen kamer wakker. Hij ging stil liggen nadenken over alles wat er de vorige dag en die nacht gebeurd was.
Toen stond hij zachtjes op en ging in zijn pyjamajasje naar het strand.
De zee lag kalm in het licht van de opgaande zon. De kleine golfjes kabbelden zachtjes tegen het zand. Het was koud, maar hij deed zijn jasje uit en liep naakt langs het water, tot aan de plek waar hij de vorige avond gezwommen had. Toen liep hij langzaam het water in, totdat het aan zijn kin reikte. Hij trok zijn voeten op, en liet zich naar beneden zakken, terwijl hij zijn ogen sloot en zijn neus tussen twee vingers dichthield. Hij voelde het kille water langs zijn lichaam strijken.

De zeespiegel werd niet verbroken, behalve daar, waar een vis opgesprongen was. Onder water stelde hij zich de grote rust die daar heerste voor, en hij wenste dat juist nu Vesper aan zou komen lopen, en verbaasd zou zijn als ze hem plotseling uit het vlakke water omhoog zou zien duiken.

Toen hij na een volle minuut aan de oppervlakte kwam, was hij teleurgesteld. Er was niemand te zien. Hij liet zich drijven, en toen hij dacht, dat de zon wel genoeg kracht zou hebben, kwam hij uit het water, en ging op zijn rug in het zand liggen. Hij was verrukt over zijn lichaamskracht, die in de afgelopen nacht geheel hersteld bleek te zijn.

Evenals de vorige avond staarde hij naar de blauwe hemel, en zag daar hetzelfde antwoord op zijn probleem. Na enige tijd stond hij op, en liep langzaam over het strand terug naar de plek waar zijn jasje lag.

Diezelfde dag zou hij Vesper vragen of ze met hem wilde trouwen. Hij was volkomen zeker van zichzelf: het kwam alleen op het juiste moment aan.

25 *De man met de zwarte oogklep*

Toen hij van het terras in het halfduister van de eetzaal kwam, zag hij tot zijn verbazing Vesper uit de telefooncel naast de voordeur komen, en zachtjes de trap naar hun kamers oplopen.
'Vesper,' riep hij, denkend dat ze een boodschap gekregen had die hen beiden aanging.
Ze draaide zich met een ruk om, terwijl ze haar hand naar haar mond bracht. Toen keek ze hem met grote, verschrikte ogen aan.
'Wat is er, lieveling?' vroeg hij; plotseling was hij bang voor de één of andere crisis in hun leven.
'Ohh,' zei ze, 'je maakt me aan het schrikken. Ik... ik heb juist Mathis opgebeld. Mathis,' herhaalde ze. 'Ik heb hem gevraagd, of hij me een nieuwe jurk kan bezorgen. Je weet wel, via die vriendin waar ik je over verteld heb. Die verkoopster. Weet je,' ze sprak snel en onbeheerst, 'ik heb niets om aan te trekken. Ik hoopte, dat ik hem nog thuis zou treffen vóórdat hij naar kantoor ging. Ik weet het telefoonnummer van mijn vriendin niet, en ik wilde jou verrassen. Ik wilde je niet wakker maken. Is het water lekker? Ben je erin geweest? Waarom heb je niet op mij gewacht?'
'Het is heerlijk,' zei Bond, die haar wilde afleiden maar toch geïrriteerd werd door haar schuldige houding over die kinderachtige geheimzinnigheid. 'Laten we op het terras gaan ontbijten. Ik ben uitgehongerd. Het spijt me, dat ik je aan het schrikken heb gemaakt. Dat kwam, om-

dat ik zo vroeg op de morgen nog niemand verwachtte.'
Hij sloeg zijn arm om haar heen, maar ze draaide zich om en liep vlug naar boven.
'Ik was zo verbaasd dat ik je zag,' zei ze, terwijl ze haar best deed het incident als onbelangrijk te doen voorkomen. 'Je zag eruit als een geest, als iemand die bijna verdronken was, met dat natte haar over je ogen.' Ze lachte schel. Toen ze haar eigen stem hoorde, ging haar lach in een hoestbui over.
'Ik hoop, dat ik geen kou gevat heb,' zei ze.
Terwijl ze zich bleef excuseren, kreeg Bond de neiging haar een pak slaag te geven, en tegen haar te zeggen, dat ze de waarheid moest vertellen. In plaats daarvan klopte hij haar voor haar kamerdeur op haar schouder, zei tegen haar dat ze voort moest maken en in het bad moest gaan. Toen ging hij naar zijn eigen kamer.

En dat was het einde van hun volmaakte liefde. De volgende dagen kenmerkten zich door leugens en schijnheiligheid, vermengd met haar tranen en ogenblikken van passie, waaraan ze zich met een gretigheid, die door de leegheid van hun dagen indecent werd, overgaf.
Verschillende malen probeerde Bond de muren van wantrouwen omver te halen. Hij kwam steeds weer terug op het bewuste telefoongesprek, maar obstinaat vertelde ze steeds nieuwe verzinsels die ze, volgens Bond, later bedacht had. Ze beschuldigde er Bond zelfs van dat hij dacht, dat ze een ander vriendje had.
Na deze scènes barstte ze steeds in snikken uit, en soms was ze bijna hysterisch.
De atmosfeer werd elke dag onaangenamer.
Voor Bond was het onbegrijpelijk dat een menselijke verhouding van het ene moment op het andere zó te

gronde kon gaan, en hij pijnigde zijn hersens af door steeds opnieuw een reden hiervoor te zoeken.
Hij voelde, dat Vesper net zo geschrokken was als hij, en haar verdriet leek groter dan het zijne. Maar het mysterie van het telefoongesprek waarvoor Vesper geen uitleg wenste te geven, wierp een schaduw op hun leven dat steeds door andere geheimzinnigheden en uitvluchten donkerder werd.
Bij de lunch op diezelfde dag werd de toestand steeds ondraaglijker.
Na het ontbijt, dat voor beiden een beproeving was, zei Vesper dat ze hoofdpijn had, en in haar kamer, buiten de zon, wilde blijven. Bond pakte een boek en ging mijlen ver langs de kust lopen. Toen hij terugkwam, had hij bij zichzelf uitgemaakt, dat ze het na de lunch uit moesten praten. Direct toen zij aan tafel zaten, vroeg hij op vrolijke toon excuus voor het feit, dat hij haar bij de telefooncel aan het schrikken had gemaakt; toen liet hij het onderwerp schieten, en vertelde haar wat hij op zijn wandeling gezien had. Maar Vesper was stil en antwoordde slechts met ja of neen. Ze speelde met haar eten, vermeed Bonds ogen en keek in gedachten langs hem heen.
Toen ze hem een paar maal niet eens antwoord had gegeven, hield Bond ook verder zijn mond en gaf zich aan zijn eigen sombere gedachten over.
Plotseling leek ze te verstijven. Haar vork viel kletterend op haar bord, en toen van de tafel op de vloer van het terras.
Bond keek op. Ze was zo wit als een doek, en ze keek angstig over zijn schouder. Hij draaide zich om en zag, dat er een man aan een tafeltje aan het andere eind van het terras was gaan zitten. Hij zag er volkomen normaal

uit; het enige wat opviel was, dat hij een donker pak aan had; bij de eerste aanblik dacht Bond, dat het een of andere zakenman was die toevallig bij dit hotel terecht gekomen was, of het in de Michelinkaart ontdekt had.

'Wat is er, lieveling?' vroeg hij bezorgd.

Vespers ogen lieten de man niet los.

'Het is de man van de zwarte wagen,' zei ze met verstikte stem. 'De man, die ons volgde. Ik weet het zeker.'

Bond keek weer achterom. De 'patron' besprak het menu met de nieuwe gast. Er was niets buitengewoons te bespeuren. Ze lachten samen over het een of ander gerecht op het menu, en werden het blijkbaar eens, want de 'patron' nam de kaart mee en met een laatste opmerking over de wijn, dacht Bond, liep hij weg.

De man scheen er zich bewust van te zijn, dat hij geobserveerd werd. Hij keek hen een ogenblik ongeïnteresseerd aan. Toen pakte hij een krant uit een aktentas die naast hem op de stoel lag, en begon met zijn ellebogen op tafel, te lezen.

Toen de man naar hen gekeken had, had Bond gezien, dat hij over één oog een zwarte klep had. Deze was niet vastgebonden, maar als een monocle in de oogholte bevestigd. Verder leek hij een vriendelijke man van middelbare leeftijd, met achterover geborsteld donkerbruin haar, en met grote witte tanden, zoals Bond opgemerkt had toen hij met monsieur Versoix sprak.

Hij wendde zich weer tot Vesper. 'Maar liefste, hij ziet er volkomen onschuldig uit. Weet je wel zeker dat het dezelfde man is? We kunnen niet verwachten dat we hier volkomen alleen blijven.'

Vespers gezicht leek een wit masker. Ze had haar handen om de hoeken van de tafel geklemd. Hij was bang, dat ze flauw zou vallen, en maakte aanstalten om te gaan staan om naar haar toe te lopen, maar ze maakte een gebaar dat hij moest blijven zitten. Toen pakte ze haar glas met wijn en nam een grote slok. Haar tanden klapperden tegen het glas, en ze moest beide handen gebruiken om het vast te houden. Toen zette ze het glas neer.

Ze keek hem met doffe ogen aan.

'Ik weet zeker, dat het dezelfde man is.'

Hij probeerde haar tot rede te brengen, maar ze schonk er geen aandacht aan. Nadat ze een paar maal op een typisch onderworpen manier over zijn schouder had gekeken, zei ze, dat ze nog steeds hoofdpijn had, en weer naar haar kamer ging. Ze stond op en liep zonder om te kijken naar binnen.

Bond was vastbesloten om haar gerust te stellen. Hij bestelde koffie, stond op en liep snel naar de binnenplaats. De zwarte Peugeot die daar stond zou inderdaad de wagen kunnen zijn die zij gezien hadden, maar het kon ook een van een miljoen andere wagens zijn die op de wegen in Frankrijk rijden. Hij keek in de auto, maar deze was leeg, en toen hij de bagageruimte probeerde, bleek die op slot te zijn. Hij noteerde het Parijse nummer; toen liep hij snel naar het toilet, trok door en liep terug naar het terras.

De man zat te eten, en keek niet op.

Bond ging in Vespers stoel zitten, zodat hij het gezicht op de andere tafel had. De man vroeg een paar minuten later om de rekening, betaalde, en ging weg. Bond hoorde hoe hij de Peugeot startte, en in de richting van Royale reed.

Toen de 'patron' naar hem toe kwam zei Bond, dat madame een lichte zonnesteek had. Nadat de man zijn me-

deleven betuigd had, en over de gevaren, verbonden aan het uitgaan onder alle weersomstandigheden uitgeweid had, vroeg Bond terloops naar de andere gast. 'Hij deed me aan een vriend van me denken, die ook een oog verloren heeft. Die draagt ook zo'n zwarte klep.'
De 'patron' antwoordde, dat de man een vreemdeling was; hij was zeer tevreden over de lunch geweest, en had gezegd, dat hij over een dag of twee weer deze richting uit zou komen, en nog eens in de auberge zou komen eten. Het was waarschijnlijk een Zwitser, wat men uit zijn accent kon opmaken. Hij was reiziger in horloges; wat zielig dat hij maar één oog had. Wat zou het hem een moeite kosten om die klep de hele dag op zijn plaats te houden. Hij veronderstelde, dat men daar op den duur wel aan zou wennen.
'Het is inderdaad erg droevig,' zei Bond. 'U bent anders zelf ook niet erg gelukkig geweest,' vervolgde hij, terwijl hij naar de lege mouw van monsieur Versoix wees. 'Ik ben er goed afgekomen.'
Ze spraken even over de oorlog. Toen stond Bond op.
'Tussen twee haakjes,' zei hij, 'madame heeft vanmorgen vroeg een telefoongesprek gehad, dat ik nog moet betalen. Met Parijs. Een Elyséenummer, geloof ik,' voegde hij eraan toe, zich Mathis' nummer herinnerend.
'Dank u, monsieur, maar dat is al geregeld. Ik had Royale aan de lijn vanmorgen, en de Centrale vertelde, dat een van mijn gasten een gesprek aangevraagd had met Parijs, maar dat het nummer geen gehoor gaf. Ze wilden weten, of ze het later nog eens moesten proberen. Ik heb er niet meer aan gedacht. Misschien wil monsieur er madame even aan herinneren. Maar wacht eens, het was een Invalidesnummer waar de Centrale het over had.'

26 *'Slaap wel, mijn liefste'*

De volgende twee dagen verliepen op gelijke wijze.
Op de vierde dag van hun verblijf ging Vesper al vroeg naar Royale. Zij werd door een taxi gehaald en gebracht; ze zei, dat ze wat medicijnen nodig had.
Die avond deed ze haar best, om vrolijk te zijn. Ze dronk veel, en toen ze naar boven gingen nam ze hem mee naar haar kamer. Het leek op hun eerste nacht samen, maar later huilde ze bitter, en Bond ging wanhopig naar zijn eigen kamer.
Hij sliep praktisch niet, en in de vroege ochtenduren hoorde hij haar deur zachtjes opengaan. Hij was er zeker van dat ze naar de telefoon was gegaan. Spoedig daarop hoorde hij haar deur weer zachtjes dichtgaan, en hij vermoedde, dat Parijs weer geen gehoor gegeven had. Dat was op zaterdag.
Op zondag kwam de man met de zwarte oogklep weer terug. Bond wist het onmiddellijk toen hij van zijn bord opkeek en haar gezicht zag. Hij had haar alles gezegd wat de 'patron' hem gezegd had, behalve dat de man misschien weer terug zou komen. Hij had gedacht, dat zij er zich misschien zorgen over zou maken.
Hij had ook Mathis in Parijs opgebeld, en inlichtingen over de Peugeot gevraagd. Deze was twee weken geleden van een solide firma gehuurd. De klant had een Zwitserse triptiek in zijn bezit gehad. Zijn naam was Adolph Gettler. Hij had een bank in Zürich als adres opgegeven.

Mathis had zich met de Zwitserse politie in verbinding gesteld. Gettler bleek inderdaad een rekening bij die bank te hebben, waarvan hij echter weinig gebruik maakte. Men dacht, dat Gettler relaties onderhield met de horloge-industrie. Indien nodig, kon men nadere inlichtingen inwinnen.
Vesper had haar schouders opgehaald toen ze dit hoorde. Toen de man ditmaal verscheen liet ze haar lunch staan en ging regelrecht naar haar kamer.
Bond nam een besluit. Toen hij klaar was met eten, volgde hij haar. Haar deuren waren gesloten, en toen zij hem binnenliet zag hij, dat zij bij het raam had gezeten; hij vermoedde, dat ze had zitten uitkijken.
Haar gezicht leek van steen. Hij leidde haar naar het bed, en ging naast haar zitten. Ze zaten stijf naast elkaar, zoals mensen in een treincoupé.
'Vesper,' zei hij, terwijl hij haar koude handen in de zijne nam, 'zo kunnen we niet verder gaan. We kwellen elkaar, en er is maar één manier om daar een eind aan te maken. Óf je vertelt me wat dit alles te betekenen heeft, óf we gaan hier weg. En wel onmiddellijk.'
Ze antwoordde niet; haar handen lagen onbeweeglijk in de zijne.
'Liefste,' zei hij, 'wil je het me niet vertellen? Weet je, toen ik die eerste morgen terugkwam, wilde ik je vragen of je met me wilde trouwen. Kunnen we niet weer opnieuw beginnen? Wat betekent die verschrikkelijke nachtmerrie die ons ten gronde richt?'
Eerst zei ze niets; toen rolde er langzaam een traan over haar wang. 'Bedoel je, dat je met mij had willen trouwen?' Bond knikte bevestigend.
'Oh mijn God,' riep ze uit. Ze draaide zich om en greep hem vast; ze drukte haar hoofd tegen zijn borst.

Hij hield haar dicht tegen zich aan. 'Vertel het me, liefje,' zei hij. 'Vertel me alles.'
Haar snikken bedaarde wat. 'Laat me een tijdje alleen,' zei ze, en in haar stem klonk iets van berusting. 'Laat me kalm nadenken.' Ze nam zijn gezicht tussen haar handen en zoende hem. Ze keek hem verlangend aan.
'Lieveling, ik probeer te doen wat het beste voor ons is. Geloof me. Maar het is ontzettend. Ik ben in een verschrikkelijke...' Toen begon ze weer te huilen; ze klemde zich aan hem vast als een kind dat een nachtmerrie heeft. Hij probeerde haar te kalmeren, streelde haar lange, zwarte haren en zoende haar teder.
'Ga nu,' zei ze. 'Ik heb tijd nodig om na te denken.'
Ze nam zijn zakdoek en droogde haar ogen.
Ze bracht hem naar de deur, en ze omhelsden elkaar. Toen sloot ze de deur achter hem af.
Die avond leek op hun eerste avond samen. Ze was in een opgewonden stemming, en haar lachen klonk af en toe een beetje geforceerd, maar Bond was vastbesloten om zich bij haar stemming aan te passen, en alleen aan het eind van het diner maakte hij een opmerking die haar even van streek bracht.
Ze legde haar hand over de zijne.
'Laten we daar niet over praten,' zei ze. 'Vergeet het nu. Het is voorbij. En ik zal je morgenochtend alles vertellen.'
Ze keek hem aan en plotseling vulden haar ogen zich met tranen. Ze pakte een zakdoekje uit haar tasje en bette haar ogen.
'Geef me nog wat champagne,' zei ze. Ze lachte vreemd. 'Ik wil nog meer. Jij drinkt veel meer dan ik en dat is niet eerlijk.'

Ze dronken samen de fles leeg. Toen stond ze op. Ze schopte tegen haar stoel, en giechelde.
'Ik geloof, dat ik dronken ben,' zei ze, 'wat schandelijk. Toe James, schaam je niet over me. Ik wilde zo graag vrolijk zijn. En ik bén vrolijk.'
Ze ging achter hem staan en woelde met haar vingers door zijn zwarte haar.
'Kom gauw naar boven,' zei ze. 'Ik verlang zo naar je.'
Ze wierp hem een kushand toe en liep weg.
Twee uur lagen ze in elkaars armen; Bond had niet verwacht, dat hun verhouding weer zó volmaakt zou kunnen worden. De barrière van zelfbewustheid en wantrouwen scheen verdwenen te zijn, en de woorden die ze tot elkaar spraken waren weer onschuldig en eerlijk, en er lag geen schaduw meer tussen hen.
'Je moet nu gaan,' zei Vesper, toen Bond in haar armen in slaap gevallen was.
Ze drukte hem steviger tegen zich aan, alsof ze haar woorden terug wilde nemen.
Toen hij eindelijk opstond, en zich bukte om haar haren uit haar gezicht te strijken en haar goedenacht te kussen, strekte ze haar arm uit en trok het licht aan.
'Kijk naar me,' zei ze, 'en laat mij naar jou kijken.'
Ze bestudeerde elke lijn van zijn gezicht alsof ze hem voor de eerste keer zag. Toen richtte ze zich op en sloeg een arm om zijn nek. Haar diepblauwe ogen stonden vol tranen toen ze zijn hoofd langzaam naar zich toe trok, en hem zachtjes op zijn lippen zoende. Toen liet ze hem los en trok het licht uit.
'Welterusten, mijn lieve schat,' zei ze.
Bond bukte zich en kuste haar. Hij proefde de tranen op haar wangen.
Hij ging naar de deur en keek nog éénmaal om.

'Slaap wel, mijn liefste,' zei hij. 'Heb maar geen verdriet meer. Alles is nu weer goed.'
Hij sloot zachtjes de deur en liep naar zijn kamer.

27 *Het bloedende hart*

De 'patron' bracht hem de volgende morgen de brief. Hij stormde Bonds kamer binnen, en hield de enveloppe een eind van zich af alsof deze in brand stond.
'Er is een vreselijk ongeluk gebeurd. Madame...'
Bond sprong uit bed en vloog naar de badkamer, maar de verbindingsdeur was op slot. Hij rende terug door zijn eigen kamer, over de gang langs een dodelijk verschrikt kamermeisje.
Vespers deur stond open. Het zonlicht scheen door de luiken de kamer binnen. Alleen haar zwarte haar was boven het laken zichtbaar, en haar lichaam lag uitgestrekt als een stenen beeld op een graftombe.
Bond ging op zijn knieën naast het bed liggen en sloeg het laken terug.
Ze sliep. Ze moest slapen. Haar ogen waren dicht. En haar lief gezichtje was niets veranderd. Ze zag er volkomen normaal uit, en toch... ze was zo stil, ze bewoog niet en ze haalde geen adem. Dat was het. Ze haalde geen adem.
Later kwam monsieur Versoix binnen en tikte hem op zijn schouder. Hij wees op het lege glas, dat op het nachtkastje naast haar bed stond. Er lagen witte korreltjes op de bodem van het glas. Het stond naast haar boek en haar sigaretten en lucifers, en de aandoenlijke rommel van spiegeltje, lippenstift en zakdoekje. Op de vloer lag het lege flesje van de slaaptabletten, de tabletten die Bond die eerste avond in de badkamer had gezien.

Bond stond op en rilde. De 'patron' gaf hem de brief.
'Wilt u de commissaris waarschuwen?' vroeg Bond. 'Ik ben in mijn kamer als hij me nodig heeft.'
Hij liep blindelings de kamer uit, zonder nog ééns maal om te kijken.
Hij ging op de rand van zijn bed zitten en staarde door het raam naar de kalme zee.
Toen keek hij somber naar de enveloppe. Er stond alleen: 'Pour Lui' op.
Hij bedacht, dat ze zich vroeg had moeten laten wekken, zodat hij haar niet zou vinden.
Hij draaide de enveloppe om. Het was nog niet lang geleden dat haar warme tong hem dichtgelikt had.
Hij haalde zijn schouders op en maakte hem open. Het was geen lange brief. Na de eerste zinnen las hij hem vlug door; zijn adem ging snel. Toen liet hij de brief op bed vallen alsof het een schorpioen was.

Mijn liefste James,

Ik hou van je met heel mijn hart, en als je deze woorden leest, dan hoop ik, dat jij ook nog van mij houdt, want na deze woorden zul je niet meer van mij kunnen houden. En daarom neem ik nu afscheid van je, mijn liefste, omdat we op dit moment elkaar nog liefhebben. Vaarwel, lieveling.
Ik ben een agente van de M.W.D. Ja, ik ben contraspionne voor de Russen. Een jaar na de oorlog kwam ik in dienst, en sinds die tijd heb ik altijd voor hen gewerkt. Ik hield van een Pool die bij de R.A.F. was. Totdat jij in mijn leven kwam, ben ik van hem blijven houden. Je kunt nu wel uitzoeken, wie hij was. Hij had twee D.S.O.'s, en na de oorlog kwam hij bij M in opleiding

en werd in Polen gedropped. Ze kregen hem te pakken, en door hem te martelen kregen ze veel inlichtingen los, en hoorden ook van mijn bestaan. Toen kwamen ze op mij af, en zeiden tegen me, dat hij in leven zou blijven, als ik voor hen wilde werken. Hij wist daar niets van, maar hij mocht me wel schrijven. Elke vijftiende van de maand kreeg ik een brief. Ik kon niet anders. Ik kon me niet voorstellen, dat ik geen brief meer zou krijgen. Dat zou betekenen, dat ik hem had laten doden. Ik probeerde hun zo weinig mogelijk inlichtingen te geven. Dat moet je van me geloven. Toen kwam jij. Ik vertelde hun, dat jij de zaak in Royale in handen had, wie je dekte, enz. Dat is de reden waarom ze alles van je wisten vóórdat je in Royale arriveerde, en ze tijd hadden om die microfoons te installeren. Ze vertrouwden Le Chiffre niet, maar ze wisten niet hoe jouw opdracht luidde. Ze wisten alleen maar dat die iets met hem te maken had. Verder zei ik niets. Ik kreeg bevel om niet achter je in het Casino te gaan staan, en ervoor te zorgen dat Mathis en Leiter dat ook niet deden. Daarom kreeg die lijfwacht bijna de kans om je neer te schieten. Toen moest ik die ontvoering ensceneren. Je zult je wel afgevraagd hebben, waarom ik zo stil was in de nachtclub. Ze lieten mij met rust omdat ik in dienst van de M.W.D. stond.
Maar toen ik hoorde, wat ze met jou gedaan hadden, al was het dan Le Chiffre die een verrader bleek te zijn, kon ik er niet mee doorgaan. Ik was van jou gaan houden. Ze wilden, dat ik jou uithoorde toen je in het ziekenhuis lag, maar dat heb ik geweigerd. Ik stond via Parijs onder controle. Tweemaal per dag moest ik een Invalidesnummer bellen. Ze bedreigden me, en ten slotte werd mijn controle teruggetrokken. Toen wist ik, dat

mijn verloofde in Polen zou moeten sterven. Maar ze waren bang, dat ik zou gaan praten, en ik kreeg als laatste waarschuwing dat SMERSH me zou vinden als ik hen niet zou gehoorzamen. Ik schonk er geen aandacht aan. Ik hield van jou. Toen zag ik de man met de zwarte oogklep in Splendide, en ik merkte, dat hij, op de dag vóór ons vertrek naar hier, inlichtingen over mij had gevraagd. Ik hoopte, dat we hem kwijt konden raken. Ik besloot een affaire met jou te beginnen, en dan vanuit Le Hâvre naar Zuid-Amerika te vluchten. Ik hoopte, dat ik een baby van jou zou krijgen, en ergens een nieuw leven zou beginnen. Maar ze volgden ons. Je kunt niet aan hen ontsnappen.

Ik wist, dat het het einde van onze liefde zou betekenen, als ik je alles vertelde. Er bleven twee mogelijkheden over: óf ik wachtte af tot SMERSH me zou doden, waarbij jij ook misschien het slachtoffer zou worden, óf ik pleegde zelfmoord.

Dat is het dan, lieve schat. Je kunt niet verhinderen dat ik je zo noem, of dat ik je zeg dat ik van je hou. Dat neem ik met me mee, met mijn herinneringen aan jou. Ik kan je niet veel meer vertellen. Het nummer in Parijs is Invalides 55200. Ik heb in Londen nooit een van hen ontmoet. Alle berichten gingen via een correspondentieadres, een advertentiebureau op Charing Cross Place nr. 450.

Bij ons eerste diner samen vertelde je over die man in Joegoslavië, die een verrader bleek te zijn. Hij zei: 'Ik werd betrokken bij het wereldgebeuren.' En dat is mijn enige excuus. Dat, en mijn liefde voor de man die ik heb proberen te redden.

Het is al laat, en ik ben moe, en je bent maar twee deuren van me af. Maar ik moet dapper zijn. Je zou

mijn leven kunnen redden, maar ik zou de blik in je lieve ogen niet kunnen verdragen.
Liefste, liefste.

V.

Bond gooide de brief neer. Mechanisch wreef hij zijn vingers over elkaar. Toen sloeg hij met zijn vuisten tegen zijn slapen, en stond op. Een moment lang keek hij naar de rustige zee, toen vloekte hij hardop.
Zijn ogen waren nat en hij droogde ze af.
Hij trok een broek en een hemd aan, en met een koud, hard gezicht liep hij naar beneden en sloot zich in de telefooncel op.
Terwijl hij op verbinding met Londen wachtte, overwoog hij de feiten uit Vespers brief. Het klopte allemaal. De kleine schaduwen en vraagtekens in de afgelopen vier weken, die zijn instinct opgemerkt, maar zijn geest verworpen hadden, kwamen nu als seinpalen te voorschijn.
Hij zag haar nu slechts als spion. Hun liefde en zijn verdriet had hij in een afgesloten hoekje van zijn geest opgeborgen. Later zouden ze misschien weer te voorschijn komen, koel onderzocht en dan met andere sentimentele herinneringen, die hij maar liever vergat, teruggeduwd worden. Nu kon hij alleen maar aan haar verraad tegenover de Service en haar land denken, en aan alle kwaad dat zij op haar geweten had, en waarvan hij de consequenties zo duidelijk zag: de codes die de vijand verbroken moest hebben, de geheimen die uit het centrum van de afdeling, die zich met de Sovjet Unie bezighield, waren uitgelekt.
Het was afschuwelijk. En God mocht weten, hoe dit weer ongedaan gemaakt moest worden.

Hij knarste met zijn tanden. Plotseling herinnerde hij zich de woorden van Mathis: 'Je zult er zeker van willen zijn dat het doel werkelijk zwart is. Maar zulke baantjes zijn er genoeg,' en eerder: 'en SMERSH dan? Ik kan je wel vertellen, dat ik het helemaal geen leuk idee vind dat die kerels door Frankrijk dazen, en iedereen vermoorden die zij als een verrader van hun dierbare politieke overtuiging beschouwen.'
Hoe snel had Mathis gelijk gekregen, en hoe snel waren zijn eigen filosofische beschouwingen in zijn gezicht uit elkaar gespat.
Terwijl hij, Bond, jaren lang indiaantje had gespeeld (ja, die opmerking van Le Chiffre was volkomen juist geweest) was de werkelijke vijand kalm, koud en zonder ophef vlak bij hem aan het werk geweest.
Plotseling kreeg hij een vizioen van Vesper, die met documenten op een blaadje door een gang liep. Zij hadden het op een blaadje gekregen, terwijl de vermaarde geheime agent met een nummer met twee nullen door de wereld zwierf en indiaantje speelde.
De nagels van zijn vingers boorden zich in zijn handpalmen, en het koude zweet brak hem uit.
Maar het was nog niet te laat. Hier lag een doel voor hem, vlakbij. Hij zou SMERSH te gronde richten. Zonder SMERSH, zonder dit koude wapen van dood en wraak, zou de M.W.D. gelijk zijn aan elke andere westerse spionnenorganisatie.
SMERSH was onverbiddelijk. Wees een trouwe spion, of je sterft. Onvermijdelijk word je opgejaagd en vermoord. En zo was het met het gehele Russische apparaat. Dit werd door vrees beheerst. Het was voor hen altijd veiliger om aan te vallen dan om terug te trekken. Een aanval op de vijand, en de kogel zou je kunnen

missen. Terugtrekken, uitwijken, verraden, en de kogel zou nooit missen. Maar nu zou hij een aanval doen op de hand die de zweep en de revolver vasthield. En het spioneren moest dan maar aan de jongens van het bureau overgelaten worden. Zij moesten de spionnen maar vangen. Hij zou zich bezig houden met de bedreiging, die achter de spionnen stond, de dreiging die hen tot spionnen maakte.

De telefoon ging en Bond nam de haak op.

Hij was verbonden met de 'Schakel', de verbindingsofficier die de enige man in Londen was met wie hij, als hij in het buitenland was, mocht telefoneren. En dan nog alleen in een dringend geval.

Hij sprak rustig.

'Met 007. Dit is een open lijn. Het is dringend. Kun je me verstaan? Geef dit onmiddellijk door. 3030 was een contraspion, die voor Rusland werkte.'

'Ja, verdomme, ik zei wás. De rotmeid is dood.'

Lees ook van A.W. Bruna Uitgevers B.V.

Paul Goeken

Hammerhead

Een duikersechtpaar ziet voor de kust van Costa Rica een grote groep haaien voorbijzwemmen... Twee Braziliaanse vissers worden opgeschrikt door buitengewoon veel haaien die richting hun schip zwemmen met vergaande gevolgen...

Van verschillende kanten krijgt haaienexpert Ethan Cohen meldingen binnen dat enorme groepen haaien zich verplaatsen. Verbijsterend genoeg zijn ze allemaal op weg naar Gran Canaria. Daar aangekomen maken ze de stranden onveilig en vallen argeloos zwemmende toeristen aan. Een regelrechte economische ramp dreigt voor het eiland.
Aan Cohen de taak om zo snel mogelijk de verschrikkingen te stoppen, maar zal hem dat lukken met alle tegenwerking die hij ondervindt?

'Met dit debuut snijdt de auteur, zelf diepzeeduiker, een alleszins origineel thema aan.' – *Biblion*

ISBN 978 90 461 1176 5